EDMUND NIZIURSKI

NIEWIARYGODNE PRZYGODY MARKA PIEGUSA

Projekt okładki: Aneta Krella-Moch

ISBN 83-7423-908-5

Firma Księgarska Jacek i Krzysztof Olesiejuk – Inwestycje Sp. z o.o.
01-217 Warszawa, ul. Kolejowa 15/17
www.olesiejuk.pl, www.oramus.pl

EDMUND NIZIURSKI

NIEWIARYGODNE PRZYGODY MARKA PIEGUSA

JAK POZNAŁEM CHŁOPCA MARKA PIEGUSA, KTÓRY MIAŁ PRZYGODY Z BYLE CZEGO

Na naszej ulicy mieszkał obywatel trzynastoletni. Znajomi chłopcy powiedzieli mi, że nazywa się Marek Piegus i że chodzi do szóstej klasy. Chłopiec ten już dawno wpadł mi w oko. Może dlatego, że był niesamowicie piegowaty w sposób urągający wszelkim rozsądnym normom, a może dlatego, że miał zawsze strutą minę.

Początkowo myślałem, że jego struta mina jest skutkiem jakiegoś przypadkowego niepowodzenia czy dolegliwości. No, bo przecież zawsze może się coś przykrego przytrafić nawet najweselszemu chłopcu. Może go na przykład boleć ząb albo brzuch, albo zgubił wieczne pióro, albo mu młodsza siostra podarła zeszyt, albo podarł ubranie o gwóźdź, albo go matka skrzyczała, albo mu ojciec nie chce kupić roweru, albo mu kupili płaszcz na wyrost do samej ziemi jak sutannę, a do tego z trąbiastymi rękawami i każą mu tak chodzić, a on się wstydzi, albo mu nie dali pieniędzy na mecz, albo dostał dwójkę, albo puszczał latawca, a latawiec nie chciał latać i wyśmiano go szyderczo, albo go obraził jakiś fąfel ze starszej klasy, powiedziawszy na przykład: „Te, mały, spłyń" i wystarczyło, bo to przecież obraza tak powiedzieć do mężczyzny, który ma bądź co bądź swoje trzynaście lat, albo go zagięli, a on nie mógł się odgiąć i chodzi zagięty.

Dużo może być zmartwień, które potrafią zatruć człowieka jak strychnina i wytrącić go z równowagi życiowej na cały dzień albo na pół dnia.

Więc ja też, proszę was, myślałem, że ten Piegus tak samo... Że spotkało go jedno z wyszczególnionych wyżej niepowodzeń życiowych, jakiś zawód, zadra, zguba czy tym podobna przykrość i dlatego taki struty i zamyślony. Ale patrzę dzień, drugi, tydzień, dwa tygodnie, a on stale taki sam. Ile razy go spotykam – wciąż ta sama mina, a do tego niemożliwie piegowaty, w sposób urągający przyjętym normom.

Postanowiłem rzecz zbadać. Przy najbliższej okazji, kiedy go spotkałem, mówię:

– Czemu masz wiecznie taką minę?

– Jaką minę? – udał, że nie rozumie.

– Zamyśloną i strutą, mój chłopcze.

Wzruszył ramionami.

– To moja zwyczajna mina. Ja zawsze jestem taki.

– Nie opowiadaj głupstw, Marku – powiedziałem. – Chłopiec w twoim wieku nie może być wiecznie struty. Skąd to u ciebie? Masz rodziców, kolegów, rower...

– Mam rower i rodziców – zgodził się.

– Może dlatego, że masz piegi?

– E, skąd. Do piegów to się już przyzwyczaiłem.

– Jesteś zdrowy, silny – mówię – widziałem, jak położyłeś na łopatki boksera Bubę I, który jest najsilniejszym chłopcem na naszej ulicy.

– Widział pan? – Marek spojrzał na mnie ciężko.

– Widziałem.

– Był osłabiony po grypie, ale to prawda, jestem silny – przyznał. Mimo to minę miał wciąż jak przedtem, to znaczy w ogóle ponurą.

– Wiem także – ciągnąłem – że przeprowadzasz udane próby z jakąś nieznaną bronią i że udało ci się spowodować wybuch, który zatruł na dwie godziny atmosferę naszej ulicy. Przypuszczam, że na szczęście nie był to pył radioaktywny.

– Myśli pan? – Marek filozoficznie wytarł nos, ale jego oblicze pozostało niezmiennie ponure.

– Więc dlaczego, Marku?...

– Po co mnie pan pyta? I tak pan nie zrozumie i będzie się pan tylko dziwił.

– No, no, to się okaże.

– Co mam panu powiedzieć. Pan myśli, że jak tego... tam... rower, że jak położyłem na łopatki Bubę i jak przeprowadziłem próbę... Ale to są, proszę pana, rzeczy naskórkowe. Pan zaledwie muska powierzchnię zjawisk. To wszystko jest detal, rzeczy pospolite. A mnie, proszę pana, w najgłupszych sprawach stale zdarzają się rzeczy nadzwyczajne i nieprzyjemne. Stale mnie spotyka, proszę pana, coś strasznego.

– Pewnie, przyjacielu, sam szukasz guza.

– Słowo daję, że nie.

– Więc jakże to... Dlaczego?

– Właśnie, dlaczego? – wzruszył ramionami. – Po prostu pech lub, jeśli pan woli, okoliczności. Wszystko wygląda na to, że ja mam jakiegoś zasadniczego pecha.

– Pecha? Wyglądasz na chłopca bardzo inteligentnego. Czy chłopiec inteligentny może w coś takiego wierzyć?

– Pan nic nie wie. Pan nie wyobraża sobie nawet, jakie ja mam niesamowite przygody.

– I dlatego się martwisz? Przypuszczam, że inni chłopcy cieszyliby się z przygód.

– Wątpię – odpowiedział Marek. – To nie są takie przygody, o jakich pan myśli. To są straszne przygody.

– Jakież ty możesz mieć straszne przygody? O ile wiem, nie polujesz na tygrysy w Burmie ani nie zdobywasz Antarktydy.

– To właśnie jest straszne. Nie zdobywam Antarktydy ani nie poluję natygrysy, proszę pana, w ogóle nie robię nic, a mimo to stale przydarza mi się coś okropnego. Ja mam straszne przygody z byle czego.

– No wiesz – powiedziałem z powątpiewaniem – trudno mi sobie wyobrazić, żebyś mógł przeżyć coś naprawdę strasznego w domu albo w szkole.

Marek uśmiechnął się, jak mi się zdawało, z odrobiną politowania.

– Ja myślę – powiedział – że panu trudno sobie wyobrazić. Przecież mówiłem panu – to są rzeczy niewiarygodne. To nikogo nie spotyka, tylko mnie.

– Cóż na przykład takiego?

– Teraz nie mogę panu powiedzieć... śpieszę się do szkoły, zresztą i tak pan nie uwierzy.

Chrząknąłem urażony.

– Kiedy indziej panu opowiem, ale musi mi pan przyrzec, że nie będzie się pan śmiał ani dziwił, ani prawił mi kazań. Czy pan to może przyrzec?

– Ależ oczywiście, Marku.

– No to do zobaczenia.

„Dziwny chłopiec – pomyślałem – ale nie wydaje się głupi".

PRZYGODA PIERWSZA, CZYLI NIESAMOWITE I NIEWIARYGODNE OKOLICZNOŚCI, KTÓRE SPRAWIŁY, ŻE MAREK PIEGUS NIE ODROBIŁ LEKCJI

Tydzień od tamtej rozmowy spotkałem Marka najniespodziewaniej w Lasku Bielańskim, dokąd chodzę codziennie o dwunastej dla rozluźnienia nerwów. Siedział na ławce pod słoniem z dykty zawinięty w koc i jadł jabłko ze zwykłą, strutą miną.

– Dzień dobry, Marku! – powiedziałem. – Wciąż jeszcze masz strutą minę?

– Jak pan widzi.

– Znów cię spotkało coś strasznego?

– Oczywiście, proszę pana.

– Cóż takiego?

– Odrabiałem lekcje.

Spojrzałem na niego podejrzliwie. Znów mi się zdawało, że żartuje ze mnie.

– Odrabiałeś lekcje – powtórzyłem – i to było takie straszne?

– Opowiem panu, ale pamięta pan, co mi pan przyrzekł?

– Pamiętam.

– No to niech pan posłucha. Mam trochę czasu, zanim mnie ojciec znajdzie, i mogę panu opowiedzieć.

– Ojciec?

– Uciekłem z domu, proszę pana. Wczoraj wieczorem o ósmej. Czesiek Pajkert dał mi te koce i obozowałem tutaj w tym teatrzyku na deskach.

– Co ty opowiadasz?

– Niech pan się nie przejmuje. Zaraz mnie tutaj znajdą.

– I siedzisz tak spokojnie?

– Boli mnie noga. Zresztą znudziło mi się już uciekać. Miałem z początku zamiar popłynąć czółnem w dół Wisły, ale rano spotkałem tutaj Cześka Pajkerta z kolegą. Oni chodzą do budy na drugą zmianę i przyszli tu z tyczką poćwiczyć. Więc ćwiczyliśmy skok o tyczce, proszę pana, a potem założyli się ze mną, czy skoczę z dachu teatrzyku. I wtedy skręciłem sobie nogę. Wobec tego kalectwa, proszę pana, stałem się skłonny do pertraktacji i Czesiek Pajkert pobiegł się dowiedzieć, jak wygląda sytuacja w domu i w szkole. Okazało się, że sytuacja wygląda pomyślnie, bo wszyscy się martwią o mnie, a ojciec wyznaczył nagrodę – sto złotych dla chłopca, który powie, co się ze mną stało. Więc Czesiek się zapytał, czy gdybym wrócił, to czy mnie przyjmą z otwartymi rękami i nie będą stosować środków. A ojciec mu odpowiedział, że przyjmie mnie z otwartymi rękami i bez środków. Więc Czesiek przybiegł opowiedzieć mi o tym i zapytał, czy dalej prowadzić pertraktacje. Powiedziałem, że tak. No i Czesiek pobiegł powiedzieć, że jestem w Lasku Bielańskim pod słoniem z dykty i żeby przynieśli z sobą jakiś wózek, rower albo nosze, bo skręciłem sobie nogę. A poza tym Czesiek zainkasuje od ojca te sto złotych.

– Jak to, Marku! – krzyknąłem wzburzony. – Więc w dodatku wyłudzicie od ojca sto złotych?

Marek spojrzał na mnie urażony.

Kto powie,
co się stało
z MARKIEM,
dostanie sto złotych.
Ojciec

– No, wie pan! Chyba nam się uczciwie należy nagroda. Zresztą niech pan nie myśli, że skorzystamy z tych pieniędzy. Czesiek każe je przekazać na komitet rodzicielski, proszę pana, z zaleceniem, żeby kupiono za nie dwadzieścia obiadów dla anemicznych dziewczynek z naszej klasy i nakarmiono je dodatkowo, nadprogramowo i przymusowo.

– Dlaczego dla dziewczynek? – zdziwiłem się.

– Widzi pan, te obiady nie są zbyt smaczne, a nasze dziewczynki są okropne i zasłużyły sobie, żeby je nakarmić dodatkowo.

– Więc chcesz przy sposobności dokuczyć dziewczynkom? Podstępną prowadzicie politykę.

– Przecież nic na tym nie stracą, proszę pana, to chyba dobrze, że chcemy je nakarmić. To nawet będzie chyba dobry uczynek.

– Ale intencje! Intencje, Marku! Twoje intencje są złośliwe.

– Musimy coś robić dziewczynkom – westchnął Marek – a pan mi obiecał przecież nie prawić kazań.

– Trudno, żebym pochwalił twoje postępki.

– Może pan nie chwalić, ale niech pan nie mówi tego głośno. Może pan przecież to sobie mówić w duchu. Inaczej nic nie będę mógł panu opowiedzieć, chyba pan rozumie.

Siedziałem oszołomiony.

– No, dobrze, ale może powiesz mi wreszcie, dlaczego uciekłeś z domu?

– A to po tych wypadkach, proszę pana, już nie mogłem dłużej... Niesamowite rzeczy się działy.

– Niesamowite?

– No, przecież mówiłem panu.

– To prawda, mówiłeś mi, ale przyznam ci się, Marku, że nie bardzo rozumiem... cóż może się niesamowitego przydarzyć podczas odrabiania lekcji.

– Niech pan tylko posłucha... Ale może ja najpierw panu opowiem, jak u nas jest. Więc u nas to jest tak. W tym pokoju, gdzie ja śpię, śpi jeszcze pan Surma, co występuje w kabarecie, i kuzyn Alek, sportowiec. Dlatego ten pokój trochę dziwnie wygląda, proszę pana, bo w jednym kącie wisi worek treningowy do boksu i rękawice, a cała ściana nad łóżkiem wytapetowana jest fotografiami z zawodów, a w drugim kącie stoi na podłodze saksofon i wiolonczela, a na krzesełkach leży porozkładane ubranie kowbojskie pana Surmy, w którym pan Surma występuje na scenie.

– Tak, to rzeczywiście trochę dziwnie wygląda – powiedziałem – ale czy musisz w tym pokoju odrabiać lekcje?

– Muszę, proszę pana. Mamy wprawdzie drugi pokój, ale w tym drugim pokoju jest jeszcze gorzej, bo tam odrabiają lekcje Jadźka i Kryśka, a ja z dziewczynkami nie mogę. One są takie krzykliwe, ciągle się kłócą i od razu boli mnie głowa. Więc ojciec powiedział, żebym odrabiał lekcje w tym dziwnym pokoju, bo tam jest spokój. Bo po południu kuzyn Alek trenuje w klubie, a pan Surma zakłada na uszy nauszniki, żeby nic nie słyszeć, i kładzie się spać. Więc ojciec mówi, że mogę spokojnie odrabiać lekcje. Ale to wcale nie jest takie proste, słowo daję, zwłaszcza jak się ma takiego pecha i od razu musi się człowiekowi przytrafić cała masa michałków.

– Przepraszam cię, czego?

– Michałków, proszę pana, to znaczy głupstw. Inni to odrabiają lekcje byle gdzie, nawet w ogóle nie mają pokoju, a odrabiają, i nic... a mnie to od razu musi spotkać coś takiego, że płakać się chce. Taki Korniszon, proszę pana, to w ogóle nie ma się gdzie podziać z książką, bo u niego w mieszkaniu to spelunka. Wciąż grają w karty i piją. Więc chodzi po kolegach z lekcjami, a w ostateczności to, proszę pana, jeździ tam i nazad autobusem, bo ma bilet miesięczny, i w autobusie wkuwa...

– Jak to, Marku... a świetlica szkolna? Nie może w świetlicy?

– Teraz już nie, proszę pana. Bo teraz w świetlicy po lekcjach strażacy uczą grać chłopców na trąbach. Bo strażacy roztoczyli nad nami opiekę i chcą nas czymś zająć, żeby się u nas z nudów chuligaństwo nie lęgło. Więc uczą chłopaków grać na puzonach.

– To bardzo ładnie z ich strony.

– Wszyscy tak mówią, ale przez to nie ma gdzie odrabiać lekcji. Inne chłopaki sobie jakoś radzą, nawet taki Gnypkowski, proszę pana, co mieszka w jednej izbie z czworgiem złośliwych pętaków, co się stale drą jak najęte, a do tego ma za sublokatora Cygana, proszę pana. Jeszcze byłoby pół biedy, żeby ten Cygan nic nie robił, ale on tam, proszę pana, robi patelnie i od rana do nocy tłucze się jak Marek po piekle. I on, ten Gnypkowski, proszę pana, też jakoś odrabia lekcje, i nic, a u mnie, proszę pana, chociaż niby spokój i nie mamy ani pędraków, ani karciarzy, ani Cygana i sami porządni ludzie ze mną mieszkają, to jak tylko zacznę odrabiać lekcje, od razu się zaczyna. No, a wczoraj to już były takie niesamowite michałki, że nie wytrzymałem. Ale ja panu opowiem po kolei...

★

Tego dnia pan Surma skończył rzępolić trochę później, tak że była już szósta, jak odstawił saksofon, rozebrał się, założył sobie nauszniki i poszedł spać. Wsunąłem się do pokoju i siadłem przy stole. Wtedy wszedł ojciec. Musiał się gdzieś wybierać, bo zapinał palto. Wszedł i znów to swoje:

– Marku, czy odrobiłeś lekcje?

– Jak mogłem odrobić – powiedziałem zły – kiedy pan Surma ćwiczył na saksofonie. Tatuś myśli, że w takim hałasie to można, jak on wciąż tra-ta-ta.

– Trzeba było sobie zatkać uszy watą – powiedział ojciec.

– Wata swędzi i nie mogę się skupić. Nawet pan Surma nie używa waty, tylko nauszników.

– Więc trzeba było sobie założyć nauszniki. Miałeś sobie kupić nauszniki.

Wzruszyłem ramionami. Ojciec to czasami jakby był z księżyca, proszę pana.

– Skąd w maju wezmę nauszniki? O tej porze nigdzie nie sprzedają nauszników.

– No, to trzeba było pożyczyć od pana Surmy – zasapał ojciec. – Pan Surma na pewno ma zapasowe.

Potrząsnąłem głową.

– Pan Surma nikomu nic nie pożycza – ani nauszników, ani nawet wiolonczeli. Bo mówi, że wiolonczela to jego żona.

Ile razy przyjdzie do niego jakiś kolega i chce pożyczyć, to pan Surma mówi, że zepsuta. Dzisiaj to nawet mnie prosił, że jak przyjdzie pan Cedur pożyczyć wiolonczelę, to żeby go spławić i powiedzieć, że pan Surma jest chory na tyfus i że... – chciałem to ojcu wszystko dokładnie wytłumaczyć, ale ojciec tylko zdenerwował się i powiedział:

– Dobrze, już dobrze. Bierz się lepiej do lekcji. Wrócę o ósmej i sprawdzę. Od dzisiaj stale będę sprawdzał. Matka za bardzo cię rozpuściła, ale ja się wezmę za ciebie, mój drogi. Nie będę więcej świecił oczami na wywiadówkach. Cztery dwóje na okres. To przechodzi pojęcie. Przez ciebie matka musiała pojechać do sanatorium.

Oburzyłem się.

– To nie przeze mnie, to przez ciocię Dorę. Mama mówiła, że ciocia Dora struła ją jakimiś pigułkami.

Ojciec chrząknął zmieszany i powiedział:

– Mniejsza z tym. W każdym razie wezmę cię do galopu. Skończyła się laba. Rozumiesz?

– Rozumiem, tatusiu – jęknąłem.

– No, to zapamiętaj sobie! – ojciec pogroził mi i wyszedł.

Wybiła szósta. Nie wiem dlaczego, proszę pana, ale mi się spać zachciało. Ziewnąłem raz i drugi i bez zapału zacząłem przeglądać książki. Nagle rozległ się dzwonek. Usłyszałem głośne kroki, śmiechy i rozmowę za drzwiami. Do pokoju wpadło czterech chłopaków z piłką.

– Cześć, Marek! – mówią. – Cześć! Cześć! Co, nie idziesz na piłkę? No, zbieraj się!

– Nigdzie nie idę – mruknąłem zły – muszę odrobić matmę.

– Patrzcie, wariat, będzie odrabiał matmę! – zaczęli wykrzykiwać jeden przez drugiego.

Strasznie byli krzykliwi.

– Ciszej – syknąłem – obudzicie pana Surmę i będzie się wściekał. Dopiero teraz zauważyli, że u mnie ktoś leży, i podeszli na palcach do pana Surmy.

– Co to za facet na łóżku? – pyta mnie Długi Janek.

– To jest pan Surma, nasz nowy sublokator – odpowiedziałem.

– A dlaczego on śpi? – pytają.

– A kiedy ma spać? – mówię. – W nocy gra w kabarecie, a rano ćwiczy na wiolonczeli.

– Artysta jakiś?

– Artysta.

– Ty, a co to za szczoteczki? – zachichotał Długi Janek i podniósł z krzesła w dwu palcach wąsy pana Surmy. Wyrwałem mu je zdenerwowany.

– Zostaw. To nie są żadne szczoteczki. To są wąsy pana Surmy – powiedziałem.

– Wąsy? – spojrzeli po sobie zdziwieni.

– Pan Surma występuje w kabarecie jako Meksykanin i musi mieć czarnewąsy...

– I taki kapelusz? – Długi Janek założył sobie na głowę sombrero pana Surmy i zaczął przeglądać się w lusterku.

– Tak – odpowiedziałem, siląc się na spokój – to się nazywa sombrero, taki kapelusz z szerokim rondem, żeby ocieniał twarz od południowego słońca, bo „sombra" to po hiszpańsku „cień".

– Aha – mruknął Długi Janek – niczego sobie. Widziałem taki kapelusz w jednym filmie. Ty, Marek, a dlaczego ten Surma śpi w nausznikach, czy to też po hiszpańsku?

– Głupi jesteś. On śpi w nausznikach, żeby nic nie słyszeć. Inaczej nie mógłby spać.

– Taki wrażliwy – zdziwili się.

– Tak, on jest bardzo wrażliwy – westchnąłem. – No, idźcie już.

W odpowiedzi ten drań, Długi Janek, porwał saksofon i zatrąbił przeraźliwie panu Surmie do ucha. Pan Surma usiadł nieprzytomnie na łóżku i padł z powrotem jak kłoda.

– Łobuzy – krzyknąłem – wynoście się!

Na szczęście nie potrzebowałem ich przepędzać, bo sami się przestraszyli i zwiali. Usiadłem z powrotem do lekcji, ale ledwie napisałem datę w zeszycie, usłyszałem kwakanie za oknem. Domyśliłem się, że to Czesiek i Grzesiek, bo oni zawsze tak mnie wywołują, ale mówię sobie, niech kwakają do śmierci. Nie ruszę się. Muszę przecież odrobić tę matmę. Patrzę, a tu oni pakują się z kopytami przez okno. Siedzę nieruchomo, się nie ruszam. Czesiek podszedł do mnie zdziwiony i pyta:

– Cóż ty tak siedzisz, Marek, ogłuchłeś?

– Spływajcie – zasapałem. – Nie mam czasu. Odrabiam matmę.

– Nie udawaj głupka – śmieje się Grzesiek – przynieśliśmy te pchły, co to wiesz...

– Pchły? – udaję, że nie rozumiem.

– No te, co to jutro mamy wpuścić siódmakom do klasy. Zapomniałeś?

Gdzie tam zapomniałem. To prawda, była taka umowa. Siódmacy napuścili nam wczoraj chrabąszczy na arytmetyce i była awantura, bo pani myślała, że to my, więc postanowiliśmy się zrewanżować pchłami. Ale udałem, że sobie nie przypominam.

– Wyiskaliśmy wszystkie psy na podwórzu – zasapał Grzesiek. – Mamy sto pięć pcheł w probówce. Więcej się nie dało. Myślisz, że wystarczy? – podetkał mi pod nos szklaną, zakorkowaną rurkę.

– Chy... chyba wystarczy – wyjąkałem.

– Jak myślisz, nie zdechną do jutra? – Czesiek miał wątpliwości.

– Czemu miałyby zdechnąć? – wykrztusiłem.

– No, z głodu.

– E, pchły są wytrzymałe.

– I myślisz, że się nie uduszą?

– A czym je zatkałeś?

– Korkiem.

– Lepiej było watą – powiedziałem – wata przepuszcza powietrze.

– Masz rację – odrzekł Czesiek – dawaj watę. A ty, Grzesiek, wyjmuj korek, tylko żeby ci nie uciekły.

Co było robić. Wyciągnąłem z apteczki watę i podałem Cześkowi. Tymczasem Grzesiek na próżno siłował się z korkiem.

– Nie chce drań wyjść, za mocno zakorkowałeś.

– Daj – Czesiek odebrał mu probówkę. – Marek, masz korkociąg?

Zrezygnowany podałem mu korkociąg. Czesiek z energią usiłował zagłębić go w korek i wtedy stała się rzecz straszna. Probówka pękła, szkło rozprysło się po podłodze. Odskoczyliśmy przerażeni. Sto pięć pcheł zaczęło skakać po pokoju.

– Idioto! Co zrobiłeś? – krzyknął Grzesiek. – Łap je teraz.

– Całe mieszkanie zapchlone – jęknąłem – o rany, już mnie gryzą!

– I mnie – miauknął żałośnie Grzesiek.

Zaczęliśmy się drapać nerwowo, lecz bezskutecznie. Sto pięć pcheł to nie żarty. Jeden Czesiek nie stracił zimnej krwi.

– Przestańcie się drapać, do licha. Co wam to pomoże? Lepiej spróbujmy je wyłapać jakoś.

Rzuciliśmy się na kolana i na klęczkach usiłowaliśmy wyłapać pchły skaczące po podłodze.

– Żeby was pokręciło z tymi pchłami – zakląłem – co za idioci!

– To był przecież twój pomysł – zauważył bezczelnie Grzesiek.

– Mój? – znieruchomiałem z oburzenia. – To przecież Czesiek...

– Ja? Ja radziłem mrówki – wypierał się bezwstydnie Czesiek – to wyście się uparli, że muszą być pchły.

– Ja żartowałem tylko – uśmiechnął się Grzesiek.

– Tak, żartowałeś. A kto mi dał probówkę? Może się zaprzesz!

Nie wiem, czym by się to wszystko skończyło, bo byliśmy zupełnie wyprowadzeni z równowagi, i pewnie w następnej chwili chwycilibyśmy się za łby, gdyby nagle nie zadźwięczał przeraźliwie dzwonek.

– Ktoś idzie – podniósł głowę Czesiek.

– To ciocia Dora – powiedziałem. – Ciocia Dora dzwoni zawsze, jakby się paliło. Ja wam radzę, spływajcie, póki czas – dodałem – z ciocią nie ma żartów.

Czesiek i Grzesiek, którzy słyszeli już przedtem cośkolwiek o cioci Dorze, zerwali się jak oparzeni i skoczyli do wyjścia. W drzwiach zderzyli się z ciocią. Ciocia Dora zmierzyła ich groźnym spojrzeniem i nie spuszczając z nich hipnotyzującego wzroku, pod którego wpływem skurczyli się aż do ziemi, powiedziała:

– Jak się masz, Marku, drogie dziecko?

– Tak sobie, ciociu.

Pocałowałem ją w rękę.

– Cóż to za szkaradne indywidua? Znów jacyś ulicznicy u ciebie. Ile razy przyjdę, zawsze te wstrętne indywidua – to mówiąc, zamierzyła się na Cześka i Grześka parasolem. – No, czego jeszcze stoicie! Przez was dziecko nie może się uczyć.

Czesiek i Grzesiek dali rozpaczliwego nura w drzwi, a ciocia, oczyściwszy pole operacyjne, znowu zwróciła się do mnie:

– Zawsze dziwiłam się twojej matce, że pozwala ci się zadawać z takimi indywiduami. A gdzież to rodzice?

– Tatuś wyszedł, proszę cioci, a mamusia wyjechała.

– Wyjechała? – zdziwiła się ciotka. – Co ty mówisz, drogie dziecko. Nic o tym nie wiem.

– Mamusia wyjechała leczyć się do sanatorium.

– Co też ty mówisz, Mareczku. Do sanatorium! Biedaczka! Ach, ci dzisiejsi lekarze. Do czego ją doprowadzili. Wiedziałam, że to się tak skończy. Gdyby mnie, biedaczka, słuchała. Ale ta twoja matka... Ty też coś mi źle wyglądasz, moje dziecko – przyjrzała mi się uważnie i przyciągnęła do siebie.

– Chodź no tutaj, dziecko.

Cofnąłem się z przestrachem.

– Nie, nic mi nie jest, ciociu, zdaje się cioci – wykrztusiłem.

Ale widziałem, że już się nie wywinę. Ciotka przyparła mnie do ściany i wyciągnęła z torebki łyżeczkę.

– Nie bój się, moje dziecko, pokaż język... Powiedz: a a a...

– AAA...

Ciotka wpakowała mi łyżkę do gardła. Oczy wyszły mi na wierzch. Zakrztusiłem się.

– No tak! – pokiwała głową ciotka. – Migdały znów powiększone. To u was rodzinne, moje dziecko. Wszyscy jesteście zdechlakami.

Ale ja nie słuchałem jej dłużej. Pchły znów zaczęły mnie kąsać i nie mogłem powstrzymać się od drapania. Ciotka zauważyła to na nieszczęście.

– Czemu się tak drapiesz, moje dziecko – zapytała mnie troskliwie. – Swędzi cię? Gdzie? Pokaż?

– Nie... nic mi nie jest – wykrztusiłem przerażony.

– Ściągaj koszulę!

– Ciociu, ja mam lekcje – jęknąłem.

– Najważniejsze jest zdrowie, Mareczku. Rozbieraj się – rozkazała ciotka i nie zważając na moje protesty, ściągnęła mi koszulę.

– A to co? – założyła okulary i przyglądała się ciekawie.

– Jakaś brzydka wysypka i zaczerwienienie. Połóż no się, drogie dziecko.

Zrezygnowany położyłem się na łóżku, a ciocia zaczęła mi gnieść brzuch. Zrazu odczuwałem tylko łaskotki i zachichotałem ze dwa razy, ale potem gniecenie stawało się coraz dokuczliwsze.

– Aj, boli – wykrztusiłem, wijąc się – nie tak mocno, ciociu.

– A widzisz – ucieszyła się ciotka – boli cię. To na pewno będzie wyrostek. To jest u was rodzinne, Mareczku. Tylko skąd ta brzydka wysypka. Dziwna komplikacja, moje dziecko. – To mówiąc, wyciągnęła z torebki pastylkę i włożyła mi do ust. – Zażyj to na wszelki wypadek. Zaraz zmierzymy temperaturę.

Rozsiadła się wygodnie, wyjęła termometr i wpakowała mi pod pachę. Czekając, aż naciągnie, rozglądała się krytycznie po mieszkaniu, zerkając raz po raz na zegarek.

– Jak wy mieszkacie... jak wy mieszkacie, drogie dziecko – westchnęła. Nagle wzrok jej padł na śpiącego pana Surmę. Założyła okulary i przyglądała mu się przez moment podejrzliwie.

– Cóż to za nowe indywiduum tam na łóżku?

– To sublokator, pan Surma – odpowiedziałem.

– Klown jakiś czy muzykant – ciocia patrzyła na niego z obrzydzeniem.

– Artysta, ciociu.

– Artysta! – ciotka pokiwała z politowaniem głową. – Niechlujnie mi jakoś wygląda. Wszyscy artyści to brudasy. Czy on się chociaż myje, moje dziecko?

– Myje się, ciociu.

– Wygląda mi na chorego – mruknęła ciotka. – Na wszelki wypadek dam ci pastylkę.

Zaczęła grzebać w torebce i wtedy stało się z nią coś dziwnego. Zerwała się nagle z miejsca ze słabym okrzykiem i zaczęła kręcić się w kółko. Wytrzeszczyłem oczy zdumiony.

– Co się cioci stało?

– Coś się ze mną dzieje, drogie dziecko – wykrztusiła słabym głosem ciotka. – Coś okropnego, Mareczku. Pewnie zaraziłam się tą wysypką... och, czuję dziwne sensacje po całym ciele, och, to nie do wytrzymania... Przepraszam cię, drogie dziecko, ale chyba będę musiała wyjść... och...

Zrozumiałem.

– Gryzą już ciocię? – zapytałem rzeczowo.

– Co ty mówisz, Mareczku?

– Mówię, że pewnie ciocię oblazły pchły – wyjaśniłem – bo u nas jest sto pięć pcheł.

– Co takiego? – wykrzyknęła przerażona ciotka.

– To ten bałwan Czesiek przyniósł pchły i mu się rozsypały.

– Pchły! – ciotka wydała rozpaczliwy okrzyk. – Och... ratunku!

I ze słowami: „Jestem zapchlona" osunęła się na krzesło.

Zerwałem się z łóżka, rzuciłem termometr i wyplułem pastylkę, a potem zacząłem bębnić pięściami do drzwi drugiego pokoju, do moich sióstr.

– Jadźka! Kryśka! Ratujcie ciocię Dorę!

W drzwiach stanęły moje kochane siostrzyczki.

– Co się stało? – patrzyły to na mnie, to na ciotkę wystraszone.

– Nie widzicie? Ciocia Dora zemdlała!

– Och, ciociu! Co cioci? – rzuciły się do niej i próbowały ją podnieść. – Marek, biegnij po wodę i walerianę.

Kiedy wróciłem z wodą i waleriana, wyprowadzały właśnie słaniającą się ciotkę.

Odetchnąłem i z ulgą zasiadłem do lekcji. Napisałem treść zadania i zaczynałem się głowić nad rozwiązaniem, gdy nagle usłyszałem dzwonek. Zanim podniosłem się z krzesła, do pokoju wmaszerowało gęsiego trzech bokserów z rękawicami przewieszonymi przez ramię. Poznałem w nich juniorów Bubę I z bratem i „muchę" Czopka.

– Sie masz, Marek – powiedział Buba I – pan Alek zaprosił nas na trening.

– Kuzyna Alka nie ma – warknąłem.

– To nic, potrenujemy sami – powiedział „mucha" Czopek i jakby nigdy nic zaczęli ściągać dresy. A ich ruchy wskazywały, że rozpiera ich wola walki.

Zanim zdążyłem zaprotestować, Buba II uderzył w worek treningowy z takim rozmachem, że worek grzmotnął mnie w głowę. Czułem tylko, że przewracam się z krzesłem w jakąś przepaść ciemną i bez dna. Kiedy przyszedłem do siebie, zauważyłem pochylone nade mną ciekawie twarze Buby I, Buby II i „muchy" Czopka.

– Zamroczyło go trochę – mówił Buba I. – Wyszedł ci ten prosty – poklepał z uznaniem Bubę II rękawicą po plecach.

– Dajcie no wody – powiedział „mucha" Czopek.

Buba I poczłapał do stołu i podał „musze" Czopkowi flakon z kwiatami. „Mucha" Czopek wyrzucił kwiaty, a wodę wylał mi na głowę. Zerwałem się jak oparzony i otrząsnąłem z wody.

– Dranie! – wrzasnąłem. – Wynoście się zaraz, bo jak was!

– No, no, spokojnie, tylko bez nerw, koleś – Buba I pogłaskał mnie po twarzy rękawicą.

Odepchnąłem go wściekły.

– No, ty, rączka przy sobie, bo cię trzasnę!

– Spróbuj tylko, pętaku – wycedził Buba I, a Buba II splunął przez zęby.

Doprowadzili mnie do ostateczności.

– Masz – zamierzyłem się solidnie i trzasnąłem Bubę I w nos.

Buba I zatoczył się od ciosu, odbił od ściany i ruszył do ataku. Udało mu się na moment przyprzeć mnie do ściany, ale to mnie tylko jeszcze bardziej rozjuszyło. Zagrała we mnie krew przodków spod Grunwaldu i Racławic, proszę pana. Ruszyłem do kontrataku i mój sierpowy wylądował na szczęce Buby. Buba zachwiał się jak pijany, zatoczył i rąbnął całym ciężarem ciała w wiolonczelę, gruchocząc ją straszliwie.

Pan Surma siadł z zamkniętymi oczyma na łóżku i wybełkotał przez sen:

– Perkusja, milczeć. Pianissimo, proszę – po czym nieszczęsny opadł bezwładnie na poduszkę i spał dalej.

Znieruchomieliśmy i przerażeni patrzyliśmy na strzaskaną wiolonczelę. Pierwszy oprzytomniał „mucha" Czopek. Pochylił się nad instrumentem i oglądał go ze strachem.

– Wszystko w drzazgach.

– Szmelc – mruknął Buba II.

– Dranie – wykrztusiłem czując, że zbiera mi się na płacz – on nam tego nie daruje. To cały jego majątek i... i... – patrzyłem na nich zrozpaczony – i... i... w ogóle... on mówił, że wiolonczela to jego żona.

– Nie bój się nic – jęknął Buba I – u nas mieszka jeden stolarz, to on sklei.

– Myślisz, że potrafi – miałem poważne wątpliwości.

– No pewnie – pocieszył mnie Buba I – on nawet fortepiany klei. Zabiorę to pudło i dam mu do sklejenia.

– I zdążysz, zanim się pan Surma obudzi? – zapytałem.

Lecz zanim Buba zdążył odpowiedzieć, rozległ się dzwonek. Zastygliśmy w przerażeniu.

– Ktoś idzie – szepnął Buba II.

– Wiać, panowie! – syknął Buba I.

Porwawszy instrument razem z Bubą II, wyskoczyli przez okno. „Mucha" Czopek nie zdążył. Chwilę rozglądał się po pokoju, wreszcie z rozpaczliwą determinacją schował się do futerału po wiolonczeli.

Rozległy się kroki w przedpokoju i ujrzałem na progu pana Cedura, kolegę pana Surmy, przystojnego, eleganckiego mężczyznę o bujnej czuprynie.

– Jak się masz, piccolo[1] – machnął mi ręką przyjaźnie i rozglądał się po pokoju – gdzież to mistrz Surma... Ach, sen zmorzył mistrza. Hej, Anatolu – sprężystym krokiem skierował się w stronę łóżka – cóż to, widzę cię w objęciach Morfeusza? Wstawaj, Apollinie łysy!

W ostatniej chwili zatrzymałem go rozpaczliwie.

– Niech pan go nie budzi. Nie wolno. Pan Surma zachorował na tyfus plamisty.

– Co, na tyfus? – zdumiał się pan Cedur. – Żartujesz chyba, mój bambino[2]. Taki kowboj, na tyfus? Puść mnie, chłopcze, muszę z nim zamienić słów parę w sprawie niecierpiącej zwłoki lub, wyrażając się ściśle, w sprawie artystycznej konieczności.

---

[1] Mały

[2] Chłopczyku

– Wiem – powiedziałem, cały czas powstrzymując pana Cedura od zbliżenia się do pana Surmy – pan pewnie przyszedł po wiolonczelę.

– Zgadłeś, bambino mio – uśmiechnął się pan Cedur, usiłując z wdziękiem wyswobodzić się z mojego uchwytu – ta sprawa właśnie sprowadza mnie w wasze progi.

– Nic z tego – odpowiedziałem brutalnie. – Wiolonczeli nie ma.

– Jak to: nie ma? – pan Cedur uniósł brwi do góry.

– No nie ma – wykrztusiłem – bo... bo pan Surma oddał ją do sklejenia.

– Do sklejenia? – pan Cedur ośmiał się. – Co ty mi tu za michałki pleciesz, piccolo bambino?

– Tak, oddał do sklejenia – łgałem już na całego – bo wiolonczela pękła wzdłuż i w poprzek też.

– Jak to, przecież tu stoi – pan Cedur wyrwał mi się i skoczył do futerału instrumentu. – Powiedz swojemu maestro doloroso[3], że oddam, jak wyzdrowieje. Tyfuśnicy nie grają na instrumentach.

– Niech pan nie rusza! – warknąłem groźnie. – Pan Surma powiedział, żeby panu nic nie pożyczać, bo pan mu zapluł ustnik w saksofonie.

– Tak powiedział, łysy diavolo[4]. Nic nie szkodzi. Instrument jest rzeczą służebną dla artysty. Mistrz Paganini trzy razy strzaskał skrzypce w napadzie twórczego szału. Cóż wobec tego znaczy zaplucie ustnika!

---

[3] Mistrzowi cierpiącemu

[4] Diabeł

Przemawiając w ten sposób, kręcił się łakomie koło futerału i nagle niespodziewanie, zanim mogłem mu przeszkodzić, podniósł go do góry. Podniósł i jęknął:

– Co, u diabła, osłabłem widać!

Chwilę stał zadumany nad ciężarem futerału, potem próbował go sobie zarzucić na plecy i stęknął z wysiłku.

– O per Bacco[5]!

Futerał opadł z głuchym stukiem na ziemię. Jednocześnie dał się słyszeć przeraźliwy krzyk „muchy" Czopka zamkniętego w środku:

– O rany... ratunku!

Pan Cedur przestraszony odskoczył spiesznie od futerału.

– Co to było? Słyszałeś coś, bambino mio?

Chwilę nadsłuchiwał podejrzliwie, a potem zbliżył się do pudła i uchylił lękliwie wieko. Z pudła wyskoczył „mucha" Czopek i wrzeszcząc jak opętany: „Rany... o rany... moja noga!..." czmychnął przez okno.

Pan Cedur patrzył zrazu na to zjawisko, poruszając bezgłośnie szeroko otwartymi ustami, a potem otarł czoło chusteczką.

– Co to za żarty? Wypraszam sobie. To jakiś brzydki kawał Anatola. Czekaj, fratello mio[6], ja też umiem płatać psoty.

To mówiąc, dopadł do telefonu i nakręcił numer.

– Halo, pogotowie?!... Ciężki wypadek tyfusu... Anatol Surma, sakso-wiolonczelista, ulica Lipowa dwa-

---

[5] Na Bachusa!

[6] Bracie mój

naście... w domu niejakich Piegusów... Tak, dur plamisty. Kompletne odurzenie z atakiem niepoczytalności. Kto wzywa? Cezary Cedur – muzyk.

Trzasnął słuchawką o widełki i pogroził panu Surmie.

– Będziesz się teraz tłumaczyć przed pogotowiem, Apollonku łysy! A ciebie biorę na świadka – krzyknął do mnie i wybiegł z pokoju.

Opadłem na krzesło i nawet nie próbowałem już otworzyć książki, tylko czekałem na nowy dzwonek. I co pan powie? Nie minęła minuta – zadźwięczał. Spojrzałem wolim wzrokiem, kogo znów licho przyniesie. Tym razem było ich dwóch. Znajomi z modelarni. Niejaki Teoś z kolegą w długim płaszczu.

Wpadli jak bomby.

– Marek, widziałeś, co mamy, pokaż mu, Torbacz!

Osobnik zwany Torbaczem uchylił poły płaszcza. Błysnęło coś metalicznie. Milczałem i udałem, że nie patrzę. Ale to ich bynajmniej nie zniechęciło.

– Zmajstrowaliśmy bombę – powiedział ten w długim płaszczu zwany Torbaczem. – Nie wierzysz, zobacz – wyciągnął okrągły przedmiot podobny do manierki. – Prawdziwa bomba, bracie. Konstrukcja prosta. Powłoka z aluminiowej manierki, a w środku pirohektatrotyl. Rozwala najgrubsze ściany. Dawaj lont, Teoś.

– Już się robi! – Teoś z zapałem sięgnął do kieszeni i wyciągnął jakiś ciemny przewód.

Torbacz pochwycił go gorączkowo i zaczął przymocowywać do manierki.

Tego już było za wiele. Zerwałem się z krzesła.

– Co chcecie robić?

– Nie bój się nic! – mruknął zaaferowany Torbacz. – Musimy wypróbować.

– Tutaj?

– Wybraliśmy ciebie – oświadczył Teoś – bo u ciebie są najgrubsze mury. Staroświecka budowa.

– Zwariowaliście – schwyciłem go za kołnierz.

– Nie bój się nic – mruknął Torbacz. – Musisz się poświęcić, bracie. Einstein dla nauki ostatnie spodnie sprzedał. A to jest epokowy wynalazek.

– Wynoście się! – krzyknąłem. – Ja nie chcę się poświęcać...

– Przypalaj lont, Teoś! – wycedził z zimną krwią osobnik w długim płaszczu.

Skoczyłem, ale było za późno, lont zaskwierczał i iskra zaczęła się posuwać. Chciałem się rzucić na nią, ale mnie powstrzymali żelaznym chwytem pod ręce. Szarpnąłem się i charknąłem:

– Zgaście, wariaci... Ratujcie... Ra...

Wpakowali mi knebel z chusteczki do ust. Na wszystko widać byli przygotowani.

– Nie rzucaj się, już za późno... licz, Teoś – mruknął Torbacz. – Jak będzie siedem, damy nura. Jak będzie dziesięć, wybuchnie.

– Wariaci... tam jest człowiek na łóżku – bełkotałem, ale z powodu knebla nic nie mogli zrozumieć.

Wpatrzeni w iskrę, liczyli:

– Trzy... cztery... pięć... sześć...

Na „siedem" pchnęli mnie do drzwi tak nieszczęśliwie, że zawadziłem nogą o chodnik i wyciągnąłem się jak długi. Teoś i Torbacz zwalili się na mnie.

– Dziewięć... dziesięć... rany Julek, nie zdążymy! – zawył Teoś.

Spojrzałem bez tchu. Lont dopalił się do końca i nagle... z bomby zaczął wypływać jakiś biały płyn.

Teoś i Torbacz patrzyli po sobie oniemiali.

– Co jest... nie wybuchło – wymamrotał, białymi jeszcze ze strachu wargami, Teoś.

– Ty, patrz, coś cieknie! – sapał Torbacz. Zbliżyli się ostrożnie do bomby.

– Coś białego – Torbacz umaczał palce w kałuży, powąchał i oblizał. – Spróbuj! – podetkał palce Teosiowi.

– Ma smak mleka – mruknął Teoś.

Torbacz wytrzeszczył oczy i pocierał w osłupieniu czoło.

– O raju! – wybełkotał.

– Co ci jest? – zaniepokoił się Teoś.

– O rany! – Torbacz zerwał się jak szalony z podłogi.

– Nieszczęście! Zamieniłem manierki. To jest manierka ojca. Z mlekiem na drugie śniadanie.

– A ojciec wziął pewnie naszą bombę i poszedł z nią do fabryki... – wyszeptał Teoś.

– Chyba tak – jęknął Torbacz i krzycząc: – Rany boskie! – rzucił się do drzwi.

– Gdzie lecisz?!

– Do fabryki! Ojciec grzeje mleko na piecu. Co będzie, jak wybuchnie?

Wybiegli obaj jak wariaci.

Siadłem przy stole, dysząc ciężko i podparłem głowę rękami. Nie wiem, jak długo tak siedziałem. Oprzytomniałem dopiero, gdy rozległo się pukanie do drzwi. Ale nie ruszyłem się z miejsca. Pukanie się powtórzyło, po czym drzwi uchyliły się pomału i do pokoju wsunął się najpierw cienki, długi pręt bambusowy wędziska, a za nim mały grubasek w gumowych butach z wiaderkiem w ręku.

– Czy można? – zapytał mnie uprzejmie.

– Nie... Nie! – wrzasnąłem, zrywając się z krzesła.

Uprzejmy grubasek widać mnie nie zrozumiał, bo odwrócony tyłem zaczął zamykać delikatnie za sobą drzwi, mrucząc:

– Odrabiasz lekcje... Nie przeszkadzaj sobie, chłopczyku.

Jednocześnie niechcący przejechał mnie boleśnie po twarzy końcem wędki, którą trzymał pod pachą. Odchyliłem się gwałtownie i zacząłem rozcierać sobie podrapaną twarz.

– Jest tatuś? – zapytał mnie łagodnie. – Mieliśmy się umówić na ryby na niedzielę...

Zacisnąwszy usta, potrząsnąłem przecząco głową.

– A... jeszcze nie wrócił – zasapał grubasek – to nic, zaczekam. Nie przeszkadzaj sobie, chłopczyku.

Usiadłem przy stole nad książkami. Tymczasem wędkarz sięgnął po krzesło, żeby spocząć, jednocześnie zaś końcem wędki zawadził o firankę w oknie i rozdarł ją na dwoje. Zmartwiony zaczął poprawiać firankę i jednocześnie drugim końcem wędki potrącił saksofon, który przewrócił się z brzękiem. Rzuciłem się, żeby go podnieść, ale poczciwiec powstrzymał mnie łagodnie:

– Nie przeszkadzaj sobie, chłopczyku.

Podniósł saksofon, ale schylając się stłukł wędziskiem kryształy i talerze na kredensie.

Zatrząsłem się, widząc to spustoszenie.

– Może pan lepiej postawi gdzieś tę wędkę – jęknąłem rozpaczliwie.

– Masz rację, chłopczyku – zgodził się dobrotliwie poczciwiec – postawię ją pod ścianą.

Ruszył dziarsko pod ścianę, ale po drodze zawadził wędką o żyrandol i stłukł żarówkę.

– Co pan zrobił? – krzyknąłem.

– Nie przeszkadzaj sobie, chłopczyku – zasapał mały wędkarz – zaraz zmienię żarówkę.

Wykręcił żarówkę z lampki nocnej przy łóżku pana Surmy i przystawił sobie krzesełko.

– Niech pan zostawi! – krzyknąłem pełen złych przeczuć. – Ja sam wkręcę.

– Nie przeszkadzaj sobie, chłopczyku – uśmiechnął się poczciwiec.

Wskoczył z małpią zręcznością na krzesło. Siedzenie krzesła załamało się pod nim, a on sam wpadł do środka. Podniósł się zaraz, aczkolwiek z obręczą od krzesła na ramionach. Chciałem go wyjąć z krzesła, ale zaprotestował uprzejmie:

– Masz lekcje. Nie przeszkadzaj sobie, chłopczyku.

Sapiąc, wygramolił się ze szczątków krzesła i przystawił drugie. Nim mu zdołałem przeszkodzić, już był na górze, wspiął się na palce i czepiając się żyrandola, usiłował wykręcić żarówkę. Żyrandol zakołysał się niebezpiecznie i runął. Rozległ się straszny rumor i trzask. Przez chwilę widziałem nogi grubaska przebierające bezradnie w powietrzu, a potem wszystko się uspokoiło i zapanowała śmiertelna cisza.

Rzuciłem się na pomoc, potrącając przy tym stół i rozlewając atrament na książki i zeszyty.

Poczciwiec leżał nieruchomo, przygnieciony ciężkim żyrandolem. Dopadłem do niego, szarpnąłem go rozpaczliwie za rękę. Otworzył oczy i wymamrotał:

– Nie przeszkadzaj sobie, chłopczyku.

Nie wiedziałem, co robić. Na szczęście zadźwięczał dzwonek. Do pokoju weszli dwaj sanitariusze z noszami.

– Tu jest gdzieś chory. Był telefon na pogotowie.

– Tak – wykrztusiłem – właśnie tego pana przygniótł żyrandol.

– Miał być jakiś z tyfusem? – zauważył drugi.

– Nie, tylko jest ten jeden – powiedziałem – błagam, zabierzcie go, panowie!

– Miał być jakiś z tyfusem – upierał się drugi sanitariusz.

Ale pierwszy machnął ręką i powiedział:

– Ładuj klienta, Walery. Nam bez różnicy, byle norma była.

I wynieśli wędkarza.

Siadłem na żyrandolu, otarłem czoło i nic mi się już nie chciało, proszę pana. Nagle zaczął bić zegar. Ósma. Chwilę trwałem w bezruchu, a potem usłyszałem dzwonek. Wtedy zerwałem się wystraszony i wyskoczyłem przez okno. Teraz pan już wie wszystko.

– Żartujesz chyba, Marku – powiedziałem. – Naprawdę zdarzyło ci się to wszystko?

– Więc jednak pan się dziwi. A przecież obiecał pan, że się nie będzie dziwił.

– To prawda! – westchnąłem ciężko.

PRZYGODA DRUGA, CZYLI NIESAMOWITE I NIEWIARYGODNE UDRĘKI, KTÓRE NAWIEDZIŁY MARKA PIEGUSA W KLASIE

Tego dnia spotkałem Marka Piegusa pod szkołą. Stał przy parkanie i w skupieniu przeglądał się w kieszonkowym lusterku.

– Cóż tak badasz swoją fizjonomię? – zapytałem.

– Nie badam fizjonomii, proszę pana, patrzę tylko, czy nie mam siwych włosów – odrzekł, nie przerywając czynności.

– Co ty wygadujesz? – zaśmiałem się. – W twoim wieku siwe włosy!

– Tatuś mówi, że człowiek siwieje od zmartwień. Więc ja też już mogłem osiwieć, proszę pana. Pan wie, jakie mam trudne życie. A dzisiejszy dzień to już był chyba najstraszniejszy. Wszystko się na mnie zwaliło: i dyżur, i imieniny naszej pani, i przerośnięci, i oczywiście miałem niesamowitego pecha. Wszystko się obróciło przeciwko mnie.

– Przerośnięci? Któż to są ci przerośnięci?

– To są dryblasy, proszę pana, opóźnieni w nauce, którzy powinni chodzić do dziewiątej, a może nawet do dziesiątej klasy, a chodzą z nami do szóstej. Oni są strasznie silni, głupi i złośliwi, rozumie pan?

– Rozumiem, ale opowiedz po kolei.

★

– Rano byłem bardzo wesoły. Ja zawsze rano, póki się wszystko na nowo nie zacznie, jestem jeszcze wesoły, proszę pana, to znaczy optymistycznie nastrojony, jak mówi pan Surma. Ale gdy wpadłem do klasy, optymistycznie wywijając workiem z pantoflami, od razu zauważyłem, że Zuza, Lula i Grzesiek rozprawiają o czymś po cichu. Podszedłem do nich.

– Co to za spiski?

– Marek, mamy zmartwienie – powiedziała Zuza.

– O co chodzi? – zapytałem wciąż jeszcze optymistycznie, proszę pana.

– Zapomnieliśmy, że dzisiaj są imieniny pani Okulusowej.

– Nie mamy żadnego prezentu ani kwiatów, ani nawet bibuły do przystrojenia klasy – dodał Grzesiek.

– Zapomnieliśmy wszyscy na śmierć – jęknęła Zuza.

– „Wszyscy" to mała przesada – uśmiechnąłem się zwycięsko – ja nie zapomniałem!

– Naprawdę! – wykrzyknęła Zuza.

– Mam nawet prezent – powiedziałem.

– Bujasz?

– Pokaż!

– Gdzie masz?

Obskoczyli mnie ciekawie.

– Tu mam – pokazałem na worek.

– W worku? – zdziwili się.

– Tak, w worku. Patrzcie – otworzyłem worek i wyjąłem małego pieska z kokardą.

Cała klasa otoczyła mnie podniecona.

– Och, jaki śmieszny!

– Śliczny!

– Pokaż!

– Jak się nazywa?

– Nazywa się Ciapuś – odpowiedziałem z dumą – Ciapuś, Ciapuś!

– Jaki on miły.

– Jakiej rasy?

– To jest mały buldog – powiedziałem – ma dopiero dwa tygodnie i trzeba go karmić z butelki.

– Daj mi potrzymać.

– I mnie!

– Mnie!

Zaczęli sobie wyrywać psiaka. Ciapuś skorzystał z tego i uciekł. Zaczął ganiać po klasie. Dzieci za nim. Wreszcie Grzesiek go złapał.

– Daj, schowam go – powiedziałem – bo jeszcze zginie albo napsoci. On jest strasznie wścibski.

Schowałem Ciapusia do worka.

– Udusi się – ostrzegła mnie Lula.

– Spokojna głowa – powiedziałem – to jest dziurawy worek!

Podszedłem do mojej ławki i schowałem worek pod pulpitem.

Tymczasem do klasy wpadł Czesiek, z czerwoną opaską dyżurnego na rękawie. Niósł dwa wielkie rulony bibuły. Wszyscy powitali go radosnym wrzaskiem:

– Są bibuły! Bibuły!

Niby wszystko zapowiadało się jak najlepiej. Był prezent i bibuła do przystrojenia klasy, ale mój pech już zaczął działać, proszę pana.

– Gdzie jest Marek? – zapytał Czesiek.

Podszedłem do niego.

– Marek, dzisiaj twój dyżur – powiedział – i tak jeden dzień byłem za długo. Trzymaj opaskę.

Założyłem opaskę z niewyraźną miną. Miałem złe przeczucia. Tak, mój pech zaczął już działać, proszę pana. No, bo jak wytłumaczyć, że mój dyżur wypadł akurat w dzień imienin pani. Czesiek zauważył, że czuję się niepewnie, i poklepał mnie po łopatkach.

– Nie przejmuj się! To tylko tydzień! Jakoś zleci.

– Tak, ale te imieniny.

– Pestka – machnął ręką Czesiek. – Przyniosłeś tego pieska?

– Przyniosłem.

– Gdzie go masz?

– W worku pod ławką.

– To dobrze! Pilnuj tylko, żeby nie uciekł. Przy twoim pechu może ci uciec.

– Będę pilnował.

– No to uszy do góry! Prezent jest, przystroimy klasę bibułą i po zmartwieniu. Nie myśl tylko o pechu. Najlepiej nie myśleć o pechu. Jak będziesz myślał, to zapeszysz.

– Tak – westchnąłem – ale wiesz, jaka jest klasa. A ja... ja mam poślizgi na równej drodze. Z byle czego. I ci przerośnięci. Wiesz, do czego oni są zdolni.

– Nie bój się – pocieszył mnie Czesiek – wszyscy lubią naszą panią. Nawet przerośnięci. Pani Okulusowa jest morowa i żadnej chryi nie będzie. Grunt, żeby przebrnąć przez pierwszą lekcję z Pitagorasem, potem to już Kolorado. Nie zadzieraj tylko z przerośniętymi. To dranie. No, to już chyba wszystko... Aha, byłbym zapomniał, uważaj na Papkiewicza, on je kredę. A teraz wyrzuć bractwo z klasy! Zrobimy dekoracje. Tu masz klej i nożyczki – wyciągnął z teczki narzędzia. – Trzeba pociąć bibułę na takie paski... na dwa palce szerokie, rozumiesz. Potem skleimy, skręcimy i będą girlandy jak na balu.

– Czy to konieczne, te... gir... girlandy? – zapytałem, pociągając nosem.

– Obowiązkowe. W siódmej zawsze są girlandy. Nie możemy być gorsi. Grunt to girlandy. To robi wrażenie.

– Dobrze, niech będą girlandy – powiedziałem z rezygnacją i zabrałem się do opróżniania klasy. Na szczęście Czesiek pomógł i wszystko poszło gładko. Wkrótce klasa została pusta.

– A teraz do roboty! – zasapał Czesiek. – Skoczę tylko do woźnego po gwoździe i młotek. Zuza i Lula nam pomogą.

Wybiegł z klasy, a ja zabrałem się do cięcia bibuły.

Nie zdążyłem jednak wykroić ani jednego paska, bo do klasy wszedł przerośnięty Zdeb. Jedną rękę trzymał w kieszeni, drugą gładził się z dziwnym uśmieszkiem po brodzie.

– Czego chcesz? – zapytałem ostro.

– Ty, uważaj, bo ci zrobię syfona – nastroszył się Zdeb. – Mówi się do mnie „proszę kolegi", szczeniaku.

Nie chciałem z nim zadzierać.

– Przepraszam, zapomniałem – przygryzłem wargi. – Kolega tak rzadko teraz przychodzi do klasy.

– Ciepło jest – ziewnął Zdeb – i nudzi mi się między smarkaczami. Moje miejsce jest w dziesiątej, rozumiesz mały.

– Rozumiem – odpowiedziałem grzecznie – to straszne, że kolega w swoim poważnym wieku musi jeszcze chodzić do naszej klasy.

– To przez złośliwość Pitagorasa i dyra – zgrzytnął zębami Zdeb. – Zawsze pytają mnie akurat z tego, czego się nie nauczyłem. Ale dosyć. Nie mam zwyczaju spoufalać się ze smarkaczami. Ty jesteś nowym dyżurnym?

– Tak, proszę kolegi.

– Golić umiesz?

– Golić? – wytrzeszczyłem oczy.

– Dzisiaj są imieniny pani Okulusowej i muszę być ogolony, rozumiesz?

– To... to kolega chce, żebym go ogolił? – wykrztusiłem.

– Dyżurni zawsze mnie golą – wzruszył ramionami Zdeb. – To należy do ich obowiązków. Nie wiedziałeś o tym?

– Nie! Czesiek mi nic nie mówił. Czy on też kolegę golił?

– Oczywiście, że golił! – huknął Zdeb. – Robił to nawet z dużą wprawą. No, prędzej, nie ma czasu, na co czekasz.

Zdeb rozsiadł się wygodnie na krześle za katedrą i rozłożył „Panoramę".

– Dobrze... – bąknąłem – ale czym kolegę ogolić?

– Przybory są w szufladzie w katedrze – mruknął Zdeb. – Woda może być z flakonu, byle tylko nie za stara. No, jazda. Pośpiesz się.

Oszołomiony wyjąłem z szuflady brzytwę, mydło, miseczkę i ręcznik i stanąłem bezradnie przed Zdebem.

– No, gazem – popędził mnie Zdeb – zawiąż mi ręcznik!

Zawiązałem.

– Nie tak mocno! Udusisz mnie! – zakrztusił się Zdeb.

Poprawiłem.

– Woda!

Nalałem wody z flakonu do miseczki.

– Mydło!

Namydliłem.

– Brzytwa!

Porwałem brzytwę i zacząłem go skrobać.

– Przerwij!

Przerwałem.

– Na co się gapisz? – krzyknął Zdeb. – Nie czujesz, że tępa? Naostrz!

Obejrzałem brzytwę bezradnie.

– Jak naostrzyć?

– O pasek! Masz chyba pasek przy spodniach?

Ściągnąłem pasek z nieszczęśliwą miną, bo czułem, że spodnie mi opadają. Podciągnąłem je. Znów mi opadły. Zdjąłem je zrozpaczony, przywiązałem pasek do klamki, tak jak tatuś robi, i zacząłem ostrzyć brzytwę.

Zdeb rzucał na mnie niecierpliwe spojrzenia zza „Panoramy", wreszcie zakomenderował:

– Dosyć! Gol!

Wciągnąłem pośpiesznie spodnie i zacząłem manipulować brzytwą po brodzie Zdeba. Nagle Zdeb podskoczył na krześle.

– Oszalałeś!

– Co się stało?

– Jak to: co! Zaciąłeś mnie, smarkaczu! Znów dostanę pryszczy albo liszajów! Rany boskie... ile krwi! Na co czekasz? Wata! Opatrunek! Ja... wykrwawię się! – jęczał przerażony.

Pobiegłem do apteczki, wyjąłem butelkę jodyny i watę.

– Zaraz opatrzę kolegę – wyjąkałem.

– Dostanę pryszczy – jęczał Zdeb.

Umoczyłem kawałek waty w jodynie i przylepiłem mu do brody. Zdeb wrzasnął przeraźliwie i zerwał się z krzesła.

– Oj, moja broda! Coś ty mi zrobił, łobuzie!

– Za... zajodynowałem.

– Co? Jodyna... O złośliwy smarkaczu, czekaj, porachuję się z tobą... O moja broda... moja broda!

Jęcząc i odgrażając się na przemian, wybiegł z klasy, trzymając się za brodę.

Otarłem rękawem czoło i odetchnąłem. Ale nie na długo. Oto bowiem otworzyły się z trzaskiem drzwi i do klasy wbiegła przerośnięta Buba. Jest to siostra znanych w naszej szkole bokserów, Buby I i Buby II, wielka, muskularna dziewczyna, proszę pana, wyższa ode mnie o głowę i pozująca na gwiazdę filmową. Serce we mnie zamarło, patrzyłem na nią przerażony, a ona zbliżyła się do mnie pomału, z filmowym uśmiechem, i wzięła mnie pieszczotliwie pod brodę.

Zaczerwieniłem się, ale nie śmiałem się ruszyć.

– Ty jesteś dzisiaj dyżurnym, Mareczku? – zapytała mnie łagodnie. Cofnąłem się odruchowo.

– Tak. A czego chcesz?

– A jak myślisz?

– Nie wiem – cofnąłem się znów o krok.

Przerośnięta Buba założyła ręce i przybrała pozę umierającego łabędzia.

– Mareczek zrobi małemu Bubasowi manicure na paluszkach – zaszczebiotała.

Spojrzałem na nią osłupiały.

– Ja, manicure? Oszalałaś? Idź do dziewczyn.

– Mareczek jest niedobry dla małego Bubasa. A jak mały Bubas Mareczka bardzo poprosi?

Nachyliła się nade mną i chciała mnie pocałować.

– Idź, nie wygłupiaj się – odepchnąłem ją z niesmakiem. – Też masz pomysły.

– No, no, mały, nie stawiaj się – Buba wyprężyła się obrażona – bo ci zrobię syfona. Dzisiaj są imieniny pani Okulusowej i muszę wyglądać szałowo.

– Przecież wiesz, że pani Okulusowa nie pozwala lakierować paznokci – próbowałem się bronić.

– Nie lakieruję sobie na czerwono i błyszcząco – wzruszyła ramionami Buba. – To niemodne. Ja lakieruję sobie na perłowo. Nie widać nawet... To zresztą nie twoja rzecz. Siadaj i rób, co każę. Dyżurni zawsze lakierują mi paznokcie. To należy do ich obowiązków.

– Ale ja nie będę! – zawołałem. – Zmiataj, bo musimy robić dekoracje. No, rozumiesz? Zmiataj!

– Co takiego? – zmarszczyła brwi Buba. – Ach, ty smarkaczu!

Wykręciła mi ręce. Krzyknąłem z bólu. Ale Buba mnie nie wypuściła. Popchnęła mnie do ławki.

– Siadaj!

Usiadłem posłusznie. Buba wyjęła spod ławki nożyczki, pilnik i lakier, siadła na pulpicie i wyciągnęła rękę.

– Jazda!

Wziąłem nożyczki i zacząłem obcinać jej paznokieć drżącą ręką. Buba zerwała się z krzykiem i uderzyła mnie pięścią.

– Ach, ty brutalu! Obciąłeś mi palec. Czekaj, już ja cię przećwiczę.

Chciałem dać nogę za drzwi, ale w tej samej chwili do klasy wszedł ciężkim krokiem Pumeks II z rękawicami bokserskimi. Obrzucił bawolim wzrokiem mnie i Bubę i powiedział:

– Buba, spłyń!

Powiedział to bardzo nosowym głosem, który nie wróżył nic dobrego.

– Nie widzisz, że robią sobie manicure – uśmiechnęła się niepewnie Buba.

– Buba, spłyń – powtórzył Pumeks II, nie patrząc na nią jeszcze bardziej nosowym głosem, który już naprawdę nie wróżył nic dobrego.

Buba przygryzła wargi, zabrała instrumenty do manicure i wyszła leniwym krokiem. W drzwiach obróciła się i pokazała Pumeksowi II język. Ale na Pumeksie II nie zrobiło to żadnego wrażenia. Stanął przede mną i zmierzył mnie zimnym wzrokiem od stóp do głów.

– Nowy dyżurny?

– Tak jest, proszę kolegi.

– Nie wyglądasz mi zbyt mądrze – wycedził. – Wiesz, kto ja jestem? – zapytał groźnie.

– Ko... kolega jest przerośniętym Pumeksem, wyczynowcem – odrzekłem, czując, że nogi uginają się pode mną.

– Nieścisłe. Jestem Pumeksem Drugim – wbił we mnie bawoli wzrok. – Jestem Pumeksem Drugim i w ten sposób odróżniam się od mojego brata z jedenastej, Pumeksa Pierwszego, który zresztą nie dorasta mi do pięt. Powtórz!

– Kolega jest Pumeksem Drugim. W ten sposób kolega odróżnia się od swojego brata, Pumeksa Pierwszego, z jedenastej, który zresztą nie dorasta koledze do pięt.

– Dobrze! Podpowiadać umiesz?

– Tak, ale...

– Pytam, czy umiesz podpowiadać szyfrem fizjologicznym!

– Logicznym... Nie... nie słyszałem o czymś takim, proszę kolegi – przełknąłem ślinę przez ściśnięte gardło.

– No, to uważaj – Pumeks II przeszywał mnie swym bawolim wzrokiem. – Musisz się tego nauczyć. Dyżurni zawsze podpowiadają mi moim specjalnym szyfrem fizjologicznym. Zapamiętaj sygnały. Dotknąć czoła znaczy „jeden”, dotknąć nosa – „dwa”, dotknąć brody – „trzy”, dotknąć ucha – „cztery”, nadąć policzki – „pięć”, zrobić ryjek – „sześć”, zęby wyszczerzyć – „siedem”, język pokazać – „osiem”, kaszlnąć – „dziewięć”, ziewnąć – „zero”, drapać się jedną ręką – „odjąć”, drapać się dwoma rękami – „dodać”, pięść pokazać – „pomnożyć”, dwie pięści pokazać – „podzielić”...

– Kolega żartuje! Ja mam to wszystko robić? – wybełkotałem.

– A kto? Duch Święty? – zmarszczył się Pumeks II. – A teraz powtórz! Chcę sprawdzić, czy zapamiętałeś.

– Zrobić ryjek – „sześć”... zrobić ryjek – „sześć” – powtarzałem ogłupiały.

– Tylko o ryjku zapamiętałeś – rozzłościł się Pumeks II – co za cymbał! Uważaj, nadaję sygnał!

Nadął policzki, podrapał się w głowę dwoma rękami, a potem wyszczerzył zęby.

– No, co ja zrobiłem? – zapytał.

– Małpę.

– Ech, ty idioto, zrobiłem działanie.

– Tak jest, działanie – powtórzyłem szybko.

Pumeks II spojrzał na mnie ciężkim wzrokiem.

– Od razu zauważyłem, że nie jesteś zbyt inteligentny. Ale to nic – sięgnął do kieszeni i wręczył mi kartkę papieru – tu jest spis sygnałów. Przepiszesz sobie i wkujesz na przerwie. Jak mnie Pitagoras weźmie do tablicy, będziesz sygnalizował z ławki. Ale pamiętaj, jak się omylisz, zostanie z ciebie mokra plama,rozumiesz?

– Ro... rozumiem!

– No, to pamiętaj! – powtórzył rozwlekle bardzo nosowym głosem, który nie wróżył nic dobrego, i dla zachęty obdarzył mnie małym kuksańcem pod żebro. Zatoczyłem się aż do ściany.

Kiedy się podniosłem, Pumeksa nie było już, a do klasy zaglądały Zuza i Lula.

– No, Marek, jak ci idzie, bo zaraz dzwonek. Co, jeszcze nic nie zrobiłeś?

– Jak miałem robić, kiedy ci przerośnięci... – spojrzałem z rozpaczą na niepociętą bibułę.

Na szczęście w tej samej chwili wpadli Czesiek i Grzesiek. W rękach trzymali zwoje wstążek nawiniętych na patyki.

– Popatrz, co mamy! – zawołał Czesiek. – Gotowe wstęgi!

– Skąd je wytrzasnąłeś?

– Pożyczyliśmy od siódmaków. Oni też mieli przedwczoraj imieniny. Mówiłem ci przecież... A teraz jazda. Zabieramy się do roboty, bo już niedługo dzwonek. Powiem wam, jak zrobimy, chodźcie. – Czesiek pociągnął nas do okna i pokazał na pelargonie w doniczkach. – Okręcimy doniczki kolorową bibułą, a od każdej doniczki przeciągniemy wstęgę aż do drzwi wysoko. Będzie baldachim jak ta lala. Dobre, co? No więc do roboty! Zawijajcie doniczki.

Rzucili się do roboty z zapałem, ja jeden miałem wątpliwości.

– Myślisz, że to się spodoba pani? – zapytałem Cześka.

– No pewnie! Takich dekoracji jeszcze nigdzie nie było. Sama poezja, jak mamę kocham. Zobaczysz, że Okulusowa osłupieje.

– Mnie się to wydaje trochę dziwne – powiedziałem. – Dziwne, a nawet dziwaczne. Dlaczego wstęgi mają biec od drzwi do pelargonii?

– Głupi, nic nie rozumiesz – uśmiechnął się pobłażliwie Czesiek. – to znaczy, że z serca pani Okulusowej, kiedy wchodzi do klasy, wybiegają promienie jak ze słońca, a my, to znaczy pelargonie, rozwijamy się w tych promieniach. To jest poezja i głębia, bracie.

– Wiesz, ty jesteś wspaniały! – Zuza spojrzała na niego z podziwem.

– Genialny pomysł!

– No, to się wi – zaśmiał się zadowolony Czesiek i postawił ostatnią doniczkę na parapecie. – Gotowe, proszę państwa. A teraz cały pęk wstążek przeciągniemy przez klasę i uczepimy nad drzwiami.

To mówiąc, wręczył mi patyki z nawiniętymi wstążkami.

– No, na co czekasz? Smaruj do drzwi! – krzyknął.

Oszołomiony ruszyłem biegiem do drzwi. Nagle poczułem, że wstążki naprężyły mi się w ręce. Rozległ się głuchy stuk i przeraźliwy krzyk dziewczynek. Obejrzałem się. Doniczki leżały rozbite na podłodze.

– Coś ty zrobił, idioto! – krzyknął zrozpaczony Czesiek.

– Przecież kazałeś mi biec!

– Ale trzeba było rozwijać po drodze! Przecież wstążki były okręcone drugim końcem naokoło doniczek. Szarpnąłeś i strąciłeś pelargonie. Osioł jesteś czy wół! Taki pomysł zmarnować!

– Co teraz będzie? – zmartwiłem się szczerze.

– Zgarnij jakoś ziemię i skorupy z doniczek. Przykryjemy gazetą.

Sapiąc, zgarnąłem smutne szczątki pelargonii na kupę i otarłem czoło.

– A co zrobić ze wstążkami? – zapytałem.

– Zawiesimy je nad drzwiami i przeciągniemy po jednej do każdego okna – odpowiedział bez namysłu Czesiek.

– Po co?

– Głupi, to znaczy, że serce pani Okulusowej wysyła promienie na cały świat.

– Aha – spojrzałem na niego z podziwem. – Ja bym nigdy czegoś takiego nie wymyślił.

Pobiegliśmy ze wstęgami do drzwi.

– Czekaj, podsadzimy cię – powiedział do mnie Czesiek. – Dawajcie młotek i gwoździe. Tylko szybko, bo zaraz dzwonek.

Podsadzili mnie pośpiesznie, a ja zacząłem przybijać wstęgi. Co się natłukłem po palcach z tego zdenerwowania, to już nieważne, bo stała się gorsza rzecz, proszę pana. Nagle zadźwięczał dzwonek i od razu, niech pan powie, czy to nie pech, otworzyły się drzwi. Te ciamajdy od razu w nogi, jak ich te drzwi odepchnęły, a ja... no, a ja... pan wie, co się mogło stać ze mną. Spadłem na łeb, na szyję, a do tego zaplątałem się we wstążki i nie mogłem się wyplątać.

Do klasy wszedł Pitagoras. Wszedł i osłupiał na mój widok. Potem włożył okulary i pochylił się nade mną.

– A cóż to takiego? Kto ty jesteś, chłopaczku?

– Ja... ja jestem dyżurnym – wykrztusiłem, obdzierając się ze wstążek.

– Czy tak wygląda dyżurny? – Pitagoras wyjął lusterko i pokazał mi w nim moją twarz. Byłem usmarowany czarną ziemią z doniczki, a we włosach miałem resztki kolorowej bibuły.

– A w ogóle – rozejrzał się po klasie Pitagoras – cóż to za maskarada?

– To... to na imieniny pani Okulusowej – wyjąkałem. – Właśnie chcieliśmy... bo... bo serce pani Okulusowej wysyła promienie, a my... my rozwijamy się w tych promieniach i dlatego... girlandy...

– Co ty pleciesz? – podniósł brwi Pitagoras. – Smaruj na miejsce!

Pognałem na miejsce, a Pitagoras sprawdził obecność i wezwał do tablicy Grześka.

– Pisz, chłopaczku – powiedział. – Do zbiornika wpuszczono tysiąc osiemdziesiąt litrów ropy...

Grzesiek zaczął rozglądać się za kredą, ale kredy nie było.

– Dlaczego nie piszesz, chłopaczku? – nastroszył się Pitagoras.

– Nie ma kredy, panie profesorze – powiedział Grzesiek.

– Co to za porządki! – krzyknął Pitagoras. – Dyżurny, do mnie!

Podbiegłem. Pitagoras założył okulary i przyglądał mi się z niesmakiem.

– No tak... Po takim dyżurnym należało się spodziewać... gdzie jest kreda, chłopaczku?

– Nie wiem – powiedziałem przestraszony – była przed lekcją. Widocznie... widocznie Papkiewicz znów zjadł.

– Co ty mi tu wygadujesz, chłopaczku. Czy ktoś może jeść kredę?

– Papkiewicz je, panie profesorze.

– Papkiewicz, do mnie – zasapał Pitagoras. – Czy to prawda, że spałaszowałeś kredę, chłopaczku?

– Spałaszowałem, panie profesorze – przyznał ze skruchą Papkiewicz.

Pitagoras spojrzał na niego z osłupieniem.

– Niesłychane! Dlaczego to zrobiłeś?

– Dyżurny Piegus dał mi do zjedzenia, panie profesorze. Jego to bawi, jak ja jem.

– To nieprawda – poczerwieniałem – on kłamie... ja...

– Będziesz się tłumaczył później, chłopaczku – przerwał mi Pitagoras, patrząc na mnie z niesmakiem. A potem obrócił się do Papkiewicza. – Więc mówisz, że Piegus ci dał, a ty zjadłeś posłusznie?

– Nie mogłem się powstrzymać, panie profesorze. Kiedy ktoś mi daje kredę, nie mogę się powstrzymać i jem.

– Ależ to jest chorobliwe! – wykrzyknął Pitagoras. – Papkiewicz, udasz się do lekarza.

– Tak jest, panie profesorze.Papkiewicz skłonił się i wyszedł.

– Dyżurny Piegus! – zagrzmiał Pitagoras. – Czy masz zapasową kredę?

– Mam w kieszeni, panie profesorze.

Zacząłem szukać zdenerwowany, wywracając kieszenie. Z kieszeni wypadła mi brzytwa Zdeba i pędzel do golenia. Pitagoras wyciągnął ciekawie szyję.

– Pokaż no to, chłopaczku!

– To... to jest pędzel i brzytwa, panie profesorze – wyjąkałem.Pitagoras zmarszczył brwi.

– Więc ty się golisz, chłopaczku?

– Ja nie... ja tylko...

– Więc skąd u ciebie takie instrumenty, chłopaczku?

Chciałem powiedzieć prawdę, ale pochwyciłem groźne spojrzenie Zdeba i straciłem głowę.

– Ja... ja się uczę fryzjerki, panie profesorze – wykrztusiłem.

– Ach tak – uśmiechnął się szyderczo Pitagoras – i zaprawiasz się na kolegach pewnie... Czy możesz mi powiedzieć, kogo goliłeś, chłopaczku?

Obejrzałem się rozpaczliwie.

– Go... goliłem kolegę Zdeba.

– Zdeb, do mnie! – zagrzmiał Pitagoras.

Zdeb podszedł do katedry z ponurą, obandażowaną twarzą.

– Czy dyżurny Piegus golił cię dzisiaj? – zapytał go Pitagoras.

– Golił mnie, panie psorze.

– Jak mógł cię golić, kiedy masz twarz w bandażu?

– To właśnie od golenia, panie psorze.

– Pokaleczył cię brzytwą?

– Tak, panie psorze.

– Niesłychane. Przecież wy się pozarzynacie. Brzytwa w rękach szaleńców – sapał przerażony Pitagoras. – Więc ten czwororęczny cię golił, a ty, stary byk, pozwoliłeś się golić?

Zdeb wzruszył ramionami.

– On przychodzi z brzytwą i goli. Czy kto chce, czy nie, panie psorze, on goli.

– Dyżurny Piegus! – wykrzyknął wzburzony Pitagoras.

– To nieprawda – zawołałem rozpaczliwie – on sam chciał... on mi kazał!

– To są niespotykane, karygodne praktyki – huczał Pitagoras. – Golą się w szóstej klasie. No, ja się tym zajmę. To wam nie ujdzie na sucho. Zabieram te instrumenty i przekażę waszej pani... A teraz wszyscy na miejsca. Do tablicy przyjdzie Pumeks.

Pumeks II wyszedł z ławki. Mijając mnie, ścisnął boleśnie i znacząco moje ramię.

– Pumeks, rozwiążesz zadanie dziewiąte z podręcznika – Pitagoras wręczył mu książkę.

Pumeks II przeczytał, stanął bezradnie i zaczął mrugać na mnie swoim bawolim okiem. Udałem, że nie widzę, ale Czesiek trącił mnie łokciem. Zacząłem więc podpowiadać fizjologicznie. Dotknąłem czoła, nosa, brody, pokazałem język, pokazałem pięść, zrobiłem ryjek, wyszczerzyłem zęby.

Pitagoras patrzył na mnie z osłupieniem, założył okulary, jakby jeszcze nie dowierzał, wreszcie wybiegł zza katedry.

– Dyżurny Piegus! Co się z tobą dzieje?

Wstałem gwałtownie.

– Twój dzienniczek!

Roztrzęsiony sięgnąłem pod pulpit. Worek z Ciapą spadł na podłogę. Zrozpaczony zauważyłem, że Ciapa wyłazi z worka.

– Dyżurny Piegus, co to wszystko ma znaczyć? Ty chyba jesteś nienormalny, chłopaczku?

Chciałem wyjaśnić, wytłumaczyć, ale w tej samej chwili poczułem, że coś łaskocze mnie w nogę. Zacząłem wiercić się w miejscu, przerażony, ale nie mogłem wytrzymać... i zacząłem się śmiać dziwnym, podobnym do rżenia chichotem.

– Uspokój się... co ty wyrabiasz... na miłość boską! – Pitagoras patrzył na mnie z przestrachem.

Ale ja nie mogłem się powstrzymać i śmiałem się coraz głośniej i coraz rozpaczliwiej, bo Ciapa pod ławką lizał mnie w gołą łydkę, a ja jestem bardzo wrażliwy na łaskotki. Na próżno oganiałem się nogą. Wstrętny psiak ani myślał zostawić mnie w spokoju.

– Piegus, marsz za drzwi! Dosyć tego! Rozumiesz? Zabieraj książki i za drzwi! Zameldujesz się u lekarza! – krzyczał Pitagoras.

Chichocząc, schyliłem się po książki, ale Ciapa mnie uprzedził. Złapał zębami za zwisający rzemień i wciągnął tornister pod ławki. Rzuciłem się za nim i na czworakach zacząłem go gonić pod ławkami.

– Piegus, gdzie jesteś? Co się stało z Piegusem? Gdzie on znikł? – usłyszałem głos Pitagorasa.

– Tutaj jestem, panie psorze – zasapałem, wynurzając się w drugim końcu klasy.

Tymczasem Ciapa był już przed katedrą. Pitagoras zrobił wielkie oczy.

– Co to ma znaczyć? Skąd się tutaj wziął ten czworonóg? Łapcie go! – krzyknął i popędził do katedry.

Wszyscy zerwali się z ławek i zaczęli chwytać psiaka.

– To są niedopuszczalne wybryki – sapał Pitagoras. – Ja ciebie wpiszę do dziennika, chłopaczku!

Zagłębił pióro w kałamarzu, ale wyciągnął stamtąd tylko kawałek tasiemki, a może sznurowadła.

– Co to za żarty! Gdzie jest atrament? – rozzłościł się.

Czesiek podał mi butlę atramentu. Porwałem ją i rzuciłem się do katedry. I wtedy na domiar wszystkiego wypłoszony Ciapa wpadł mi prosto pod nogi. Przewróciłem się i stłukłem butelkę.

Zanim zdążyłem się pozbierać, do klasy wbiegł dyrektor, a za nim pani Okulusowa.

– Co to za krzyki? – zawołał. – Co tu się wyrabia?

– W klasie jest chłopiec nienormalny, kolego dyrektorze – zasapał Pitagoras – nie mogłem prowadzić lekcji... zupełnie niesłychane historie... Dyżurny Piegus, wytłumacz się.

Podniosłem się nieszczęśliwy z podłogi. Byłem usmarowany atramentem... na pewno usmarowany atramentem, bo z moich oczu kapały czarne łzy. Dyr popatrzył na mnie ze zgrozą.

– Coś takiego! Jak ty wyglądasz, mój chłopcze?

Pani Okulusowa załamała ręce zrozpaczona.

– Marku, co z tobą?

Chciałem wszystko wyjaśnić. Chciałem powiedzieć, że to nie moja wina, że ją bardzo kocham, ale że życie jest trudne i w ogóle. Chciałem to wszystko wyjaśnić, ale słowa ugrzęzły mi gdzieś w ściśniętym gardle.

– I to dyżurny – usłyszałem głos dyrektora. – Wstyd! Tak się zachować w dniu imienin waszej pani. Oddaj mi, chłopcze, opaskę.

Zabrał mi opaskę dyżurnego i powiedział, że jutro mam przyjść z rodzicami.

Marek spuścił głowę.

– No i widzi pan teraz. Czy to wszystko nie straszne?

– Straszne, Marku – odpowiedziałem zdumiony – i wprost niewiarygodne.

– Wiedziałem, że pan nie uwierzy – westchnął, poprawił tornister na plecach i powlókł się do domu.

PRZYGODA TRZECIA I NAJWIĘKSZA, CZYLI NIEWIARYGODNE SKUTKI WAGARÓW POSPOLITYCH, CZYLI ZNIKNIĘCIE MARKA PIEGUSA

Upłynął już chyba miesiąc od naszego ostatniego spotkania, zrobiło się zupełnie ciepło na dworze. Chłopcy cały wolny czas po szkole spędzali na ulicy. Tylko Marka między nimi nie było. Zaczęło mnie to dziwić. Wreszcie, było to dziesiątego czerwca, spotkałem Cześka.

– Nie wiesz, co się dzieje z Piegusem? – zapytałem. – Dawno go już nie widziałem.

– To pan nie wie? – wytrzeszczył oczy Czesiek.

– Nic nie wiem.

– Stało się nieszczęście, proszę pana.

– Nieszczęście? – przestraszyłem się. – Jakie nieszczęście!

– Pan pamięta, jakiego on miał pecha?

– Pamiętam, ale gadaj, co się stało.

– Marek znikł.

– Znikł? Co ty opowiadasz, jak może ktoś zniknąć?!

– On znikł – powiedział z ponurą miną Czesiek.

– Gdzie?

– Nie wiadomo.

– Meldowaliście milicji?

– No pewnie. Ale dotąd nie ma wiadomości.

– To jakaś podejrzana historia – mruknąłem. – Musisz mi dokładnie wszystko opowiedzieć.

Zabrałem go do siebie i dowiedziałem się zupełnie fantastycznych szczegółów. Nie chciałem mu wierzyć, więc udałem się do rodziców Marka. Państwo Piegusowie potwierdzili wszystko. Nadto od nich, od pana Anatola Surmy i od znanego sportowca Alka, usłyszałem jeszcze inne równie frapujące wiadomości...

Odtąd zacząłem pilnie śledzić bieg wypadków. Ale zaczekajcie, to już jest cała powieść, no i jak prawdziwą powieść trzeba ją opowiedzieć.

Rozdział I

Na początku były wagary pospolite. Dziwny chłystek i paralitycy. Człowiek o twarzy konia. Co za cuda z tornistrem

Zaczęło się od pewnego przykrego zdarzenia w czasie lekcji przyrody, które właściwie ze względu na przyjaźń łączącą nas z Markiem należałoby przemilczeć, gdyby nie to, że bez tego zdarzenia sprawa traci na wyrazie, a pewnych rzeczy ani rusz nie można zrozumieć. Otóż trzeba ze wstydem wyznać, tego dnia, niestety, Marek poszedł na wagary. Może niezupełnie z własnej winy, ale fakt pozostaje faktem. Chłopak poszedł na wagary.

Złożyło się na to wiele przyczyn. A więc po pierwsze: po długim okresie zimna i deszczu zrobiła się pogoda, taka pogoda, że wprost nie można było wytrzymać. Człowiek siedzi w klasie, patrzy przez okno i czuje się jak mucha w słoiku. Strasznie niebezpieczna jest taka pogoda. Po drugie: tego dnia miała być na czwartej godzinie ostatnia klasówka z matematyki, a Marek miał trójkę z tego przedmiotu i bał się, żeby sobie tą klasówką nie pogorszyć stopnia. A po trzecie: była lekcja przyrody na świeżym powietrzu i pan profesor Gąska zabrał wszystkich na zieloną trawkę do Łazienek, żeby podglądać życie roślin i zwierząt.

Wszyscy rozbiegli się po parku szukać kukułki, która kukała. A przerośnięty Zdeb od razu powiedział, żeby nawiać.

– Co mamy płoszyć ptaka? – mruknął. – Na Nowym Świecie w sklepie „ZOO" można zobaczyć dwie kukułki z bliska. Jedną w klatce, a drugą wypchaną. Zresztą, co tam kukułka! Przyszedł sprzęt do sklepu na Mazowieckiej. Jak się pośpieszymy, to jeszcze dostaniemy łódź dętą. Cała mieści się w plecaku. Jak Boga kocham. Jakby tak każdy z was przyniósł po parę złotych, tobyśmy kupili.

– Ale co będzie, jak Gąska zauważy?

– Nic... w razie czego to powiemy, żeśmy się zgubili.

– Nie uwierzą.

– No to, no to, że Piegus wpadł do wody i musieliśmy go wyciągnąć, wysuszyć i odwieźć do domu. Piegus jest pechowy, to każdy uwierzy, że wpadł, nie?

Pomysłów jak zwykle nie brakowało. Impreza wydawała się zupełnie łatwa i bezpieczna, toteż wszyscy chłopcy z klasy postanowili dać nogę. Prawdę mówiąc, Markowi wcale nie uśmiechała się taka stadna wyprawa. Bał się, że ze swoim pechem jeszcze wdepnie w jakąś awanturę. Zresztą nie miał ochoty kupować „łodzi dętej" dla Zdeba. Na samą myśl, że mógłby się znaleźć z takim typem jak Zdeb na wodzie, dostawał dreszczy.

Ale jak to powiedzieć Zdebowi i kolegom? Nie tylko by nie zrozumieli, ale jeszcze mogliby go posądzić o tchórzostwo albo o coś gorszego. Nie, za żadne skarby nie można im powiedzieć. No i Marek poszedł razem z chłopakami.

A potem to nawet żałował. Bo Zdeb wcale nie zapomniał, jak Marek golił go w klasie, kiedy był dyżurnym, i ile przez niego się wstydu najadł przed Pitagorasem. Tak, proszę was, stanęła wtedy między nimi ta sprawa golenia i jodyny, i w ogóle... Jednym słowem, mieli na pieńku. Dlatego jak już uciekli i Zdeb zobaczył, że Marek idzie z nimi, to skrzywił się i powiedział:

– A Piegus to po co? Nie chcę widzieć tego wymoczka. Z nim nie ma zabawy. Spływaj, bo jeszcze przyniesiesz nam pecha.

A klasa nawet nic nie powiedziała, bo wszyscy bali się Zdeba. Tylko Czesiek i Grzesiek stanęli po stronie Marka.

– Jak Piegus nie idzie, to my też nie pójdziemy – powiedzieli i odłączyli się od Zdeba.

– To nie, obejdzie się – syknął Zdeb.

Zabrał klasę i poszli w jedną stronę. A Marek, Czesiek i Grzesiek w drugą stronę.

– Jesteście morowe chłopaki – pociągnął nosem Marek, wzruszony takim dowodem przyjaźni – ale nie musicie iść ze mną. Idźcie z nimi. Nie krępujcie się.

– E, co tam – wzruszył ramionami Czesiek – właściwie to mi się wcale nie chciało iść z nimi. Zdeb jest tuman, a ja nie mam czasu się włóczyć, sezon się zaczął i muszę złożyć rower, bo jeszcze leży w proszku na strychu.

– Ja też mam co innego do roboty – powiedział Grzesiek.

– Już dawno miałem wywołać film i porobić odbitki w łazience. Ale jak wracam ze szkoły, to zawsze łazienka zajęta, bo u nas mieszka pięciu lokatorów i lokatorek, a jeden pan to się stale kąpie w błocie, tak, w specjalnym błocie z Buska, i mówi, że to na reumatyzm. Więc myślę, że teraz to nikogo nie będzie, bo jest dopiero dwunasta, i wywołam ten film, i zrobię te odbitki.

Tak więc rozstali się przy skwerze Worcella. Marek został sam i nie wiedział, co robić. Z początku chciał wrócić do domu, ale jak przypomniał sobie, że o tej porze pan Surma ćwiczy na wiolonczeli, to mu się odechciało. Zresztą mama znała plan lekcji i zaraz zaczęłyby się pytania.

Dlatego Marek postanowił na razie nie wracać do domu. Kupił sobie pół kilo czereśni i usiadł na ławce w bocznej alejce skweru Worcella. Tornister położył koło siebie i zaczął jeść czereśnie.

Wtem, kiedy tak siedział i zajadał czereśnie, zauważył jakiegoś ucznia, który biegł alejką. Był to bardzo chudy i biednie ubrany chłopak. Miał śmieszne, odstające uszy i wielkie, wystraszone oczy. Zadyszany, dobywając resztek sił, dopadł do ławki, na której siedział Marek. Zdjął tornister z pleców, cisnął go z ulgą, na ławkę, rozpiął sobie kurtkę i zaczął ocierać spocone czoło. Marek przypatrywał mu się zdziwiony i zauważył, że chłopak ma bardzo stare i zmęczone oczy, jakby miał nie trzynaście lat, ale ze czterdzieści.

„Bardzo dziwny chłopak – pomyślał – znam wszystkich chłopaków z naszej szkoły, ale ten na pewno nie chodzi do nas. Nie chodzi chyba także do żadnej szkoły w naszej dzielnicy, bobym go znał z widzenia, musiałbym go znać, czy to z ulicy, czy z zawodów sportowych, czy z basenu. A ja go wcale nie znam. Pierwszy raz go widzę na oczy. I nie nosi żadnej tarczy na rękawie. Więc skąd się tu wziął i co robi o tej godzinie z tornistrem. Wagaruje jak ja czy może..."

– Ty z jakiej budy jesteś? – zapytał, wypluwając pestkę.

Chłopak nie odpowiedział. Zupełnie jakby nie słyszał pytania.

– Co ty, głuchy jesteś? Pytam cię, z jakiej budy jesteś.

Chłopak wzruszył ramionami... i znów zaczął ocierać sobie szyję rękawem.

– Coś tak pędził jak wariat? Gonił cię kto?

– Nikt mnie nie gonił – odburknął opryskliwie chłopak i zmierzył Marka ponurym, nieprzyjaznym spojrzeniem.

– To czemu tak biegłeś?

– A co, nie wolno mi? – nastroszył się nieznajomy.

– Coś taki kozak? – powiedział Marek.

– A co, może ci się nie podoba... piegusie jeden!

– No ty, uważaj, bo cię sfauluję – zacisnął pięści Marek bardzo czuły na punkcie honoru.

Zanim jednak zdążył spełnić swoją groźbę, stała się rzecz nieoczekiwana. Chłystek zerwał się z ławki, jakby go giez ukąsił, zezując gdzieś na boki, porwał błyskawicznie tornister i rzucił się do ucieczki.

Marek patrzył za nim zaskoczony. Co mu się stało? Czyżby go aż tak przestraszył?

Wtem zauważył, że alejką zbliża się dwu mężczyzn. Szli skuleni, jeden za drugim, na rękach mieli grube rękawice, choć to był czerwiec, a prawe ręce trzymali jakoś dziwacznie, sztywno opuszczone na dół.

Potem w połowie ścieżki zmienili pozy. Wykonali jakieś niezrozumiałe ruchy w powietrzu, przechylili się na drugą stronę i szli ze sztywnymi lewymi rękami, też trzymając je nisko.

„PARALITYCY" – pomyślał Marek i rozwarł usta ze zdziwienia. Nigdy w życiu nie widział czegoś podobnego.

Tymczasem chłopak z tornistrem obiegł naokoło alejkę i nagle zawrócił jak oszalały. Chciał przebiec między „paralitykami", gdy wtem rozległ się niesamowity brzęk. Chłopak krzyknął. I „paralitycy" krzyknęli.

Dopiero teraz Marek zauważył, że ci ludzie nieśli po prostu wielką szybę, której nie było widać, i dlatego tak dziwnie wyglądali. Nerwowy chłystek też nie zauważył i wpadł na nich. Przebił głową szybę. Stłukła się na kawałki.

Szklarze podnieśli wielki krzyk. Klnąc i odgrażając się, zaczęli gonić chłystka, wzywać milicję. Przechodnie zatrzymywali się i z ciekawością przyglądali awanturze.

Markowi zrobiło się trochę nieswojo. Za dużo tych ludzi się nagromadziło. Jeszcze go kto pozna albo milicja go wylegitymuje, albo w najgorszym razie weźmie na świadka tego zajścia i wtedy wszyscy się dowiedzą, że o dwunastej godzinie był na skwerze Worcella i wagarował. Nie, lepiej nie ryzykować. Marek wziął pośpiesznie tornister, zarzucił na plecy i ruszył naprzód alejką. Najlepiej chyba zrobi, jak pójdzie do kina. Tym bardziej, że z tornistrem nie ma sensu się włóczyć. Zrobił się taki jakiś ciężki. A powietrze duszne, będzie chyba burza.

Marek obejrzał się, czy go kto nie śledzi, i zadrżał.

Kilkanaście metrów w bok z gęstych zarośli jaśminu wychylała się długa twarz o ostrych rysach i oczach uzbrojonych w ciemne szkła.

Marek poczuł, że te oczy wpatrzone są w niego, i zadrżał powtórnie. Coś tu się dzieje niezwykłego na tym skwerze, ten nerwowy chłystek, ci szklarze, ten niesamowity typ w krzakach. Przyśpieszył kroku, oglądając się raz po raz za siebie.

Człowiek o długiej, końskiej twarzy wyskoczył z krzaków. Miał bryczesy i myśliwskie buty, a na szyi lornetkę. Rozejrzał się niespokojnie na boki, a widząc, że ludzie zajęci są sprawą szklarzy, ruszył szybko za Markiem. Miał tak długie nogi, że każdy jego krok starczył za trzy Marka.

Markowi zabiło serce. Co ten Okularnik może chcieć od niego? Jest coraz bliżej. Nie, to jakaś podejrzana historia. Jeszcze z Markowym pechem. Nie ma się co zastanawiać. Lepiej od razu dać nogę.

I Marek puścił się biegiem w stronę ulicy. Ale uczucie, że człowiek o twarzy konia idzie za nim, nie opuszczało go. Czuł jego wzrok wbity w swoje plecy.

Wtem usłyszał wołanie:

– Chłopczyku, zaczekaj! Nie bój się. Czemu uciekasz? Chcę ci powiedzieć coś ważnego.

Dopiero teraz Marek wystraszył się nie na żarty i choć tornister ciążył mu jak ołów, popędził niczym mistrz Foik na stu metrach. Miał szczęście. Ledwie dopadł do ulicy Mickiewicza, nadjechał tramwaj. Marek wskoczył do niego, choć nigdy ze skweru nie jeździł do domu tramwajem, bo to było zaledwie trzysta metrów. Ale chciał się za wszelką cenę oderwać od Okularnika.

Gdy tylko znalazł się bezpieczny w środku wozu, przywarł oczyma do szyby. Był ciekawy, co się stało z Okularnikiem.

Ten zadyszany wpadł dopiero na ulicę. W tej samej chwili konduktor zadzwonił i tramwaj ruszył. Okularnik puścił się za nim biegiem, chciał wskakiwać, ale nie zdążył. Został na wysepce, rozglądając się rozpaczliwie. Marek odetchnął z ulgą. Już miał zamiar przejść na przód tramwaju, gdy nagle zauważył, że Okularnikowi udało się zatrzymać taksówkę. Wsiadł do niej błyskawicznie. Kilkanaście sekund później taksówka dopędziła tramwaj.

Zbliżał się przystanek, na którym Marek powinien wysiąść. Wysiąść czy nie? Marek był w rozterce.

„Niepotrzebnie się boję... niepotrzebnie się boję – powtarzał sobie. – Tu przecież jest ulica. Ile ludzi! Cóż on mi może zrobić? Co innego na pustym skwerze... ale tu przecież jest ulica... O, tam stoi nawet milicjant. A do domu tylko sto metrów".

Tramwaj się zatrzymał, Marek wyskoczył i szybkim krokiem ruszył do domu. Kiedy się obejrzał, znów zadrżał. Taksówka wolno jechała za nim po drugiej stronie ulicy. Na szczęście dom był tuż, tuż...

Czerwony i spocony wpadł w drzwi kuchni.

– Co ci się stało, jak ty wyglądasz?! – krzyknęła matka.

W pierwszej chwili chciał opowiedzieć o wszystkim, przyznać się do wagarów, opowiedzieć o chłystku, o szklarzach, o Okularniku, który go gonił, ale zląkł się. Gdyby nie te wagary! A tak mama mu wcale nie uwierzy. Musiałby się przyznać do wagarów. Nie... nie potrafi.

– Dlaczego tak wcześnie wracasz? – zapytała podejrzliwie matka.

– Pani Okulusowa ma konferencję, więc puścili nas po trzech godzinach – skłamał. – Byliśmy tylko na wycieczce w parku łazienkowskim.

– Dlaczego jesteś taki przestraszony?

– Ja... przestraszony... Zdaje się mamie... O, mama ma nowe kwiaty na oknie.

Udając, że ogląda kwiaty, wyjrzał przez okno. Za oknem stał Okularnik i przecierał szkła.

Marek cofnął się odruchowo.

– Co ci jest? – matka przyglądała mu się zaniepokojona.

– Może chory jesteś?

Nagle zadźwięczał dzwonek.

– Niech mama nie otwiera! – wykrzyknął Marek i zostawiając osłupiałą matkę w kuchni, czmychnął do pokoju pana Surmy. Sublokator spał jak zwykle o tej porze. Kołdra na jego łóżku unosiła się miarowo i słychać było łagodne chrapanie.

Marek zamknął drzwi na klucz i nadsłuchiwał przez chwilę z uchem przy klamce. W przedpokoju rozległy się kroki. Matka otworzyła zewnętrzne drzwi. Rozmawiała z kimś.

– Marku, tu jeden pan do ciebie – powiedziała wreszcie głośno.

Zamiast odpowiedzieć Marek wlazł za szafę. W razie gdyby sprawy dalej się komplikowały, postanowił wyskoczyć przez okno. Matka nacisnęła klamkę.

– Marku, słyszysz? Dlaczego nie otwierasz? – zastukała głośno.

Pan Surma zbudzony dobijaniem się do drzwi siadł na łóżku, zdjął klapki z uszu, nadsłuchiwał przez chwilę, a gdy stukanie się powtórzyło, włożył szlafrok i powiedział:

– Proszę!

Klamka poruszyła się bezskutecznie.

– Zamknięte na klucz, panie Anatolu! – usłyszał głos pani Piegusowej.

Pan Surma uniósł ze zdziwienia brwi do góry, bo byłby przysiągł, że wcale nie zamykał drzwi na klucz, a potem kręcąc głową włożył pantofle i poszedł otworzyć.

– O co chodzi? – zapytał, mrugając swoimi oczyma krótkowidza na widok człowieka o końskiej twarzy. – Kto to jest? – szukał w kieszeniach szlafroka okularów.

Lecz w tym momencie stała się rzecz dziwna. Człowiek o twarzy konia złapał się nagle za szczękę.

– Aj, nie zakręciłem kranu! jęknął, po czym wykonał gwałtowny półobrót na pięcie i nim ktoś zdołał coś powiedzieć, wybiegł jak szalony z domu.

Pani Piegusowa i pan Surma stali przez chwilę w osłupieniu.

– Co za dziwny człowiek – szepnęła wreszcie pani Piegusowa – co za dziwny człowiek. Tak nagle uciekł.

Czy pan go zna, panie Anatolu? Odniosłam takie wrażenie, jakby się pana przestraszył.

– Nie widziałem go dokładnie... raczej tylko jako cielistą, galaretowatą masę – wykrztusił pan Surma. – Nie miałem okularów, kiedy nie mam okularów, widzę wszystko galaretowato.

– Bardzo przepraszam, że zbudziłam pana, panie Anatolu, ale ten wysoki Okularnik chciał się widzieć z Markiem, a Marek tu się zamknął.

– Rzeczywiście, drzwi były zamknięte na klucz – przytaknął pan Surma, mrużąc oczy krótkowidza. – Pani mówi, że to Marek... Ale gdzie on? Wcale go nie widać w pokoju.

Marek wyszedł zza szafy.

– Marku, dlaczego się zamknąłeś przed tym panem? Znasz go?

– Nie, skąd...

– A jednak ten pan chciał się z tobą widzieć.

– Pewnie się pomylił...

– Marku, ty coś ukrywasz. Naprawdę nie widziałeś go przedtem?

– Widziałem go tylko na... ulicy... wsiadł do taksówki i... i jechał za mną.

– Jechał za tobą?

– Tak, jechał, dlatego się przestraszyłem, bo przecież ja go wcale nie znam.

– Jak myślisz, kto to może być?

– Nie wiem... pewnie... pewnie jakiś wariat.

– To prawda, że ta jego nagła ucieczka była dość dziwna, ale nie wyglądał na wariata. Miał bardzo trzeźwe i, powiedziałabym, inteligentne oczy, kiedy na moment zdjął te swoje ciemne okulary – odparła matka.

– Proszę państwa, ja bardzo przepraszam, ale może porozmawiamy o tym kiedy indziej, ja chciałbym spać – chrząknął pan Surma, zakładając sobie klapki na uszy.

Marek z mamą wycofali się do przedpokoju.

★

Po południu zdarzyła się nowa historia. Czesiek wpadł do Marka jak co dzień, żeby sprawdzić rozwiązanie zadania. Marek wyciągnął z tornistra zeszyt i osłupiał. Zeszyt był zupełnie pusty, a przecież pamiętał dokładnie, że jeszcze wczoraj, zaraz po powrocie ze szkoły, odrobił w nim zadanie.

– Co się stało? – zapytał Czesiek, patrząc na pobladłą twarz Marka.

– Nic... nic... – wybełkotał Marek. Potem nagle zaczął gwałtownie grzebać w tornistrze. Nie do wiary! Wszystkie zeszyty były puste, a książki nowe i czyste jakby prosto z księgarni.

– To nie mój tornister – wykrztusił. – Musiał mi ten drań zamienić.

– Kto? – zapytał oszołomiony Czesiek.

– A jeden taki nerwowy chłystek na skwerze. Psiakość, jak ja go teraz znajdę!

Rozdział II

Makabryczny sen Marka. Nocne krzyki pana Anatola. Milicja nie ma zaufania do człowieka z kabaretu. Pożałowania godne zasłabnięcie kaprala Oremusa w czasie pełnienia obowiązków służbowych

Tego dnia Marek nie mógł długo zasnąć. Przewracał się z boku na bok, a sen nie przychodził. Myśl o zamienionych tornistrach, o podejrzanym typie w okularach nie dawała mu spokoju. A kiedy wreszcie zasnął, zaczęły go gnębić straszne sny.

Śniło mu się, że uciekł ze szkoły i znalazł się w wielkim borze, gęstym i ciemnym, pełnym przeróżnych drzew. Ale dziwny to był las. Niesamowity. Na dębach, sosnach, kasztanach i klonach, i w ogóle wszystkich drzewach rosły czereśnie. Dużo wspaniałych, czerwonych czereśni. Zwisały nisko z drzew jak wielkie korale. Marek był bardzo głodny i spragniony i chciał sobie zerwać kilka czereśni, ale ledwie ich dotknął... rozpłynęły mu się w palcach i wtedy poznał z obrzydzeniem, że to nie są czereśnie, ale krople krwi.

Cofnął się przerażony, lecz nagle powiał wiatr i wszystkie krople zaczęły spadać i dzwonić jak krople deszczu uderzające w szyby.

Zdjęty dławiącym strachem chciał uciekać, lecz ledwo zrobił krok, zza drzew zaczęli wychodzić dziwni ludzie o końskich twarzach i ciemnych okularach. Szli niesamowicie przegięci, trzymając prawe ręce sztywno w dole, jakby wykręcone w jakiejś okropnej męce. Było ich chyba ze dwudziestu. Szli gęsiego, zataczając wielki krąg wokół Marka, a jeden był podobny do drugiego, zupełnie jakby dwadzieścia tych samych odbitek. Byli coraz bliżej, uśmiechali się złośliwie, a może tylko boleśnie. Potem nagle jak na komendę przegięli się wszyscy w drugą stronę i na odmianę zesztywniały im lewe ręce.

Było ich coraz więcej, bo wciąż jeszcze wychodzili nowi i zaczęli coraz ciaśniej okrążać Marka.

„Trzeba uciekać, to niebezpieczne" – pomyślał, ale w którąkolwiek stronę pobiegł, od razu uderzał o coś twardego i rozlegał się brzęk szkła. I wtedy zrozumiał, że ci wszyscy ludzie niosą w rękach przezroczyste szyby. Zbliżali się powoli do środka, patrząc szyderczo na niego. Marek poczuł się jak w strasznej pułapce. Krzyknął:

„Czego chcecie ode mnie?"

„Oddaj książki, oddaj tornister".

„To nie ja. Ja nic nie wiem, ja nie wziąłem. Nie znam was".

„Oddaj książki" – mówili złowrogo ludzie z szybami.

„Nie, nie. Ja się muszę uczyć. Jestem uczniem szóstej klasy".

Marek cofał się przerażony. Nagle usłyszał, że ktoś gra na wiolonczeli, i odetchnął. Tu gdzieś musi być chyba pan Surma. Zaczął rozglądać się i zobaczył, że pan Surma leży w nausznikach pod ławką i gra przez sen na wiolonczeli.

„Proszę pana, proszę pana, niech się pan obudzi".

Marek dopadł do niego i zaczął go szarpać za rękę.

Pan Surma wyjrzał spod ławki.

„Co się stało? Kto tu jest?"

„Nie widzi pan, jesteśmy otoczeni!" – krzyczał Marek.

Pan Surma rozglądał się swoimi oczami krótkowidza.

„Zdawało ci się. Nie widzę nikogo".

„Jak to, proszę pana, niech pan patrzy".

„Nie przeszkadzaj mi – powiedział pan Surma. – Ja chcę grać".

Położył się z powrotem i zaczął poruszać wielkim smykiem po strunach.

A ludzie z szybami podchodzili coraz bliżej. Zrozpaczony Marek chciał zatrzymać smyczek, mocował się z nim, lecz gdy się tak mocował, zobaczył, że z kubła na śmieci, przy ławce, wyskoczył jakiś chudy chłopak. Siedział tam już chyba ukryty od dawna. Wyskoczył, porwał tornister Marka i dał nura w szyby. Szyby rozpadły się z przeraźliwym brzękiem. Chłopak uciekł, a ludzie pognali za nim.

Pan Surma skoczył na równe nogi i przestraszony zaczął wymachiwać wiolonczelą jak wielką maczugą.

– Łapać ich! Bandyci! Na pomoc! Ratunku!

Marek zerwał się.

Dopiero teraz zrozumiał, że to był sen. Że jest u siebie w pokoju i siedzi na łóżku. A jednak nie wszystko było snem, bo pan Surma rzeczywiście krzyczał i wymachiwał saksofonem na środku pokoju. Musiał dopiero co wrócić z kabaretu, bo był w palcie i kapeluszu.

Kuzyn Alek też się już obudził. Siedział zaspany i mrugając oczami, patrzył na pana Surmę.

– Co pan, panie Anatolu? Pan wybił szybę.

– Ratunku, na pomoc! Złodzieje! – krzyczał pan Surma.

Kuzyn Alek wyskoczył przerażony z łóżka i porwał oszczep. W tej samej chwili do pokoju wbiegł ojciec, matka i obie siostry Marka.

– Co się tu dzieje? – zawołał pan Piegus. – Alek, co ty wyrabiasz?

Kuzyn Alek oprzytomniał już i zawstydzony odstawił oszczep pod ścianę.

– E, nic. Tylko pan Anatol wybił szybę i się awanturuje.

– Panie Anatolu, jak można – załamała ręce matka.

– Do telefonu! – krzyczał pan Surma. – Trzeba dzwonić na milicję. Złodzieje byli w pokoju. Włamali się przez okno!

– Rzeczywiście, jakiś dziwny zapach w pokoju – zauważyła pani Piegusowa. – Ale skąd panu przyszło na myśl, że to złodzieje. Czy pan przypadkiem nie za dużo wypił, panie Anatolu?

Pani Piegusowa zbliżyła się do pana Surmy, ale muzyk cofnął się zmieszany, zasłaniając usta.

– Słowo daję, widziałem złodziei – bełkotał. – Jeszcze kiedy byłem w przedpokoju, usłyszałem podejrzane szmery, szelesty, szurania i brzęczenia, szanowna pani. Otworzyłem gwałtownie drzwi do pokoju i zobaczyłem cień mężczyznypod ścianą. „Stój!" – krzyknąłem, ale cień skoczył w otwarte okno i znikł. Rzuciłem w niego butem i wszcząłem alarm.

– O Boże, mój but! – jęknął kuzyn Alek. – Nie mógł pan rzucić swoim?

– Jak miałem rzucić swoim butem, kiedy go miałem na nodze.

– Jezus Maria, stłukł pan szybę! – szepnęła matka.

– Proszę państwa, to nie ma znaczenia. Przecież mówię, że było włamanie.

Pan Surma był już przy telefonie i nakręcał numer milicji. Ojciec spojrzał na niego nieufnie.

– Czy pan jest pewien, panie Anatolu, że pan nie uległ złudzeniu, nie widać tu żadnych śladów włamania.

– Zapewniam pana, widziałem cień.

– Wujenka ma rację. Pan za dużo wypił – rzekł kuzyn Alek.

– Co takiego? Wypraszam sobie podobne insynuacje! – wykrzyknął panSurma, przyciskając słuchawkę do ucha. – Pan doskonale wie, młodzieńcze, że nie piję z zasady. Jestem abstynentem i należę do towarzystwa walki z alkoholizmem.

– Tym gorzej – powiedział kuzyn Alek. – Abstynenci są bardzo podatni na działanie alkoholu i niewielka doza trunku doprowadza ich do szału. Niech wujenka i wujek nie wierzą – to wszystko przywidzenie pana Surmy. Nikogo nie było w pokoju. Idźmy lepiej spać, już i tak prawie cała noc zmarnowana. Jestem przetrenowany i trudno zasypiam, a do tego ten mały gadał cały czas przez sen i rzucał się na łóżku jak piskorz. A kiedy w końcu usnąłem, to znowu te krzyki pana Surmy. Pan powinien iść do lekarza, panie Anatolu.

Pan Surma dyszał wzburzony, ale strawił w milczeniu słowa Alka, bo właśnie w słuchawce rozległ się upragniony głos władzy. Pan Surma przełożył nerwowo słuchawkę z jednej ręki do drugiej.

– Halo, milicja?... Tak... Anatol Surma, muzyk... sakso-wiolonczelista...Co?... W sprawie włamania... Bandyci... Trupy?... Nie, nie ma trupów... wszyscy żyją. Udało mi się przegnać bandę... Dziękuję.

Pan Surma odłożył słuchawkę i spojrzał zimno na kuzyna Alka.

– Milicja zaraz tu będzie i milicja potwierdzi, że było włamanie.

– W jaki sposób?

– Po śladach.

– Pewnie, że było włamanie – odezwał się milczący dotąd Marek – pewnie, że było włamanie – powtórzył z przejęciem. – Przecież ja zamykałem okno na noc, a teraz jest otwarte.

Alek zaśmiał się.

– Bo ja otworzyłem.

– Ty?

– Było mi gorąco i duszno. Jestem przetrenowany, nie mogę sypiać przy zamkniętym oknie w czerwcu! Więc otworzyłem, kiedy ty już spałeś.

– Trzeba zamknąć, bo zaczął kropić deszcz. Ale skąd ten zapach? – poruszyła nosem pani Piegusowa.

– Istotnie, tu coś pachnie – skrzywił się pan Piegus.

– Tak czy owak, proszę państwa – odchrząknął pan Surma, zatykając sobie usta – radziłbym od razu sprawdzić, czy co nie zginęło. Wprawdzie przepędziłem opryszków, ale mogli coś ściągnąć po drodze.

– Sprawdzić nie zaszkodzi – zgodziła się pani Piegusowa, zamykając okno i wycierając parapet.

Wszyscy rzucili się do szukania. Marek siedział chwilę na łóżku. Jakaś myśl chodziła mu po głowie. Nagle skóra mu ścierpła. Tornister. A jeśli to było włamanie, żeby mu ukraść tornister? Mógłby przecież zwyczajnie przyjść i powiedzieć, że tornistry zostały zamienione, zwrócić tornister Marka, a Marek oddałby ten. Żeby się zupełnie uspokoić, Marek zajrzał na etażerkę, gdzie na trzeciej półce zawsze kładł tornister. Zajrzał i odetchnął. Tornister leżał na swoim miejscu. Otworzył go i sprawdził, czy nie zginęła jaka książka lub zeszyt. Nie. Wszystko było. Nowe, nieużywane książki i puste, niezapisane zeszyty.

Marek wsunął je z powrotem do tornistra i dopiero wtedy zauważył, że rodzice przyglądają mu się zaniepokojeni.

– Czego tam szukałeś w tornistrze? – zapytał ojciec.

– Niczego nie szukałem.

– Ty coś ukrywasz przed nami, Marku.

Ojciec podszedł do etażerki, otworzył ciekawie tornister i zajrzał do środka. Przez chwilę przerzucał książki.

– Co to ma znaczyć? To przecież nie twoje podręczniki. Puste zeszyty. Nic nie rozumiem.

Marek nie mógł już dłużej ukrywać prawdy i powiedział:

– Wyszedłem ze szkoły i po drodze wstąpiłem do parku. No i tam miałem taką przygodę, że tornister mi zamienili.

– Zamienili?! – podniósł do góry brwi ojciec.

Marek opowiedział wszystko po kolei. I o chłopaku z tornistrem, i o szklarzach, i o człowieku o końskiej twarzy. Tylko o wagarach przemilczał.

– Bardzo jakaś dziwna historia, Marku – ojciec przyglądał mu się bacznie. – Czy to wszystko było naprawdę?

– No przecież mówię, tatuś to nigdy nie wierzy.

Pan Piegus odwrócił się do żony.

– On znów wymyśla jakąś historię. Znów coś zmyśla – westchnął.

– No, niech mama powie, czy nie przychodził tutaj ten typ w okularach – bronił się Marek.

– Rzeczywiście. Był jakiś wczoraj, co pytał się o Marka – przytaknęła matka.

– I co?

– No i zachował się dość dziwnie. Nagle przypomniał sobie o jakimś niezakręconym kranie i wybiegł jak szalony z domu. Ale mnie się zdawało, że on się przestraszył pana Anatola.

– Co ty opowiadasz! Dlaczego ktoś miałby się bać pana Anatola?

Dalszą rozmowę przerwał warkot motoru za oknem.

– To milicja – powiedział pan Surma i skoczył do drzwi.

W chwilę później do pokoju weszło dwóch milicjantów. Jeden był bardzo smutny i bardzo zaspany, a do tego miał bardzo chorobliwy wygląd i wszystkim od razu zrobiło się przykro, że takiego człowieka wyciągnęli w nocy z komisariatu. Drugi milicjant był groźny.

– Kto z obywateli wzywał milicję? – zapytał bez wstępów.

– Ja – wykrztusił pan Surma.

– Co się właściwie stało? – milicjanci rozglądali się po mieszkaniu. – Pan mówił o bandytach i włamaniu.

– Tak jest – tłumaczył pan Surma. – Jacyś nieznani osobnicy wdarli się przez okno do tego pokoju. Właśnie wróciłem z kabaretu, gdzie pracuję, i usłyszałem podejrzane szmery, szelesty, szurania i skrzypienia.

Milicjant groźny machnął niecierpliwie ręką.

– A co pan widział?

– Widziałem cień.

– Aha, cień... – powtórzył ten o chorobliwym wyglądzie i westchnął.

Tymczasem groźny milicjant patrzył podejrzliwie na saksofon, kowbojskie ubranie i hiszpańskie sombrero, tudzież klapki na uszy i sztuczne wąsy pana Surmy leżące na poduszce. Pan Anatol najwyraźniej nie budził zaufania w jego oczach.

– Cień... – powtórzył przeciągle. – Więc tylko to pan widział?

– Czy to mało? – zapytał zmieszany pan Surma.

Milicjant podniósł wąsy pana Surmy z poduszki, przyjrzał im się i odłożył je ze wstrętem.

– Co to za instrument?

– To moje wąsy.

– Wąsy?

– Pracuję w przebraniu.

– Aha – milicjant spojrzał podejrzliwie na pana Surmę.

– Okno było na noc zamknięte czy otwarte? – zapytał znienacka.

– Otwarte – odpowiedział Alek.

Milicjanci spojrzeli po sobie.

– Więc nie było włamania. Pan nas wprowadził w błąd, panie Trąba.

– Surma – poprawił pan Piegus.

– Surma – powtórzył milicjant groźny.

– A kto stłukł szybę?

– Ja – przyznał się pan Surma.

– Aha, pan.

– Rzuciłem butem w okno, kiedy zobaczyłem ten cień.

– No tak... – pokiwał głową z jakimś wewnętrznym smutkiem milicjant. – W domu nic nie zginęło? – dorzucił.

– Nic – odparli rodzice.

Milicjanci spojrzeli po sobie, a potem potoczyli po obecnych wzrokiem pełnym cichego wyrzutu.

– Więc pan wracał z kabaretu – zakaszlał milicjant o chorobliwym wyglądzie – więc pan wrócił z kabaretu i akurat wtedy usłyszał pan szmery, a potem zobaczył cień w oknie. I rzucił pan w niego butem oraz narobił krzyku.

– Tak jest.

– Szmery, obywatelu, słyszeliście – westchnął żałośnie milicjant o chorobliwym wyglądzie. – A pozwólcie do mnie bliżej i chuchnijcie, obywatelu.

Pan Surma zatkał sobie usta i cofnął się lękliwie.

– Gdzie pan ucieka? Czemu pan się kryje po kątach? – zawołał milicjant.

Pan Surma uciekał dookoła stołu.

– Ten obywatel jest wyraźnie podejrzany! – krzyknął groźny milicjant i puścił się w pogoń za sakso-wiolonczelistą.

– Łapcie go, Oremus! – krzyknął do kolegi. Milicjant o chorobliwym wyglądzie zagrodził drogę panu Surmie i pan Surma wpadł prosto w jego rozkrzyżowane ramiona jak i dziecię w objęcia matki.

– Pan stawia opór milicji – rzekł, sapiąc groźny milicjant i zbliżył się do pana Surmy. – Jak się mówi: chuchnąć, to trzeba chuchnąć.

Pan Surma potrząsnął głową i zaciskał z całej siły usta.

– Ach, boi się pan. Pan pił.

Pan Surma wyciągnął z kieszeni notes, wyrwał kartkę i zaczął coś pisać. A wszystkim domownikom zrobiło się bardzo wstyd za pana Surmę.

– Strasznie nam przykro – powiedział pan Piegus do milicjantów – strasznie nam przykro, że panowie się fatygowali, chcieliśmy powstrzymać pana Surmę od telefonowania, niestety, nie udało nam się.

Milicjanci kiwali ze zrozumieniem głowami.

– Człowiek z kabaretu w domu! Współczujemy państwu.

– Panowie są bardzo uprzejmi.

– Człowiek z kabaretu w domu! – powtórzyli milicjanci, a potem obrócili się do pana Surmy – No więc jak, kowboju, namyślił się pan czy nie?

W odpowiedzi pan Surma, trzymając się za usta, wręczył im kartkę papieru. W jego oczach był lęk i prośba o wyrozumiałość. Milicjant o groźnym wyglądzie przeczytał:

Nie mogę chuchnąć, bo zażyłem czosnek. Od trzech dni zażywam czosnek dla zdrowia. Pani Dora nakłoniła mnie do tego i robi mi nalewkę czosnkową, którą wypijam codziennie, wracając z kabaretu na noc.

– Panie Anatolu! – zawołała pani Piegusowa. – Pan jest bardzo subtelnym człowiekiem! Jak zwykle bardzo subtelnym!

Pan Surma skłonił się z uśmiechem.

– Stary figlarz – mruknął milicjant – znamy się na tym. No cóż, jeśli pan jest tak subtelny, to weźmiemy panu krew do badania.

– Krew? – przestraszył się pan Piegus.

– Krew. I zbadamy, czy ten obywatel nie ma we krwi alkoholu – wyjaśnił groźny milicjant i skinął na kolegę.

Milicjant o chorobliwym wyglądzie zbliżył się ze specjalną igłą i rurką do zassania krwi. Pan Surma patrzył z przerażeniem na te narzędzia, ale milczał bohatersko.

– To prawdziwy dżentelmen – szepnęła z podziwem pani Piegusowa – on tak panicznie boi się wszelkich zastrzyków i zabiegów, a jednak nie otworzył.

Milicjant wyczyścił panu Surmie palec eterem. Rozległ się krótki trzask mechanicznej igły. Pan Surma otworzył usta i jęknął: – Oaaa!

I wtedy nastąpił przykry wypadek.

Milicjant o chorobliwym wyglądzie zachwiał się momentalnie i zbladł. Potem zatoczył się i runął jak długi na kanapę.

– Co pan mu zrobił? – krzyknął groźny milicjant do pana Surmy, który zezrozpaczoną miną krył się gdzieś w kącie.

– Nic... musiałem krzyknąć... i zionąć... bo mnie ukłuło... zawsze krzyczę, jak mnie kłują... ja uprzedzałem... ja nie chciałem, mnie jest bardzo przykro, że zionąłem... pana kolega jest widać wybitnie uczulony.

– Istotnie, kolega Oremus jest bardzo wrażliwy... a do tego przemęczony. Już drugą noc jesteśmy na służbie. Wczoraj robiliśmy zasadzkę na Bogumiła Kadrylla, znakomitego kieszonkowca... cała noc zeszła.

Tymczasem milicjant o chorobliwym wyglądzie jęczał coraz głośniej na kanapie.

Zapanowało małe zamieszanie. Wszystkim znowu zrobiło się bardzo przykro i bardzo wstyd za pana Surmę.

– Może ziółek? – zawołała Kryśka. – Naparzę ziółek.

– Przyniosę neospazminy – dodała Jadźka.

– Najlepiej, jak zaparzę mocnej herbaty – zaofiarowała się pani Piegusowa.

– Pogotowie... tylko pogotowie! – grzmiał pan Piegus.

– Dziękujemy bardzo za życzliwość – powiedział milicjant groźny – ale na służbie nie wolno nam przyjmować żadnych napojów. Zabierzemy kolegę do naszego samochodu.

To powiedziawszy, zawołał szofera i kaprala, który spacerował przed domem, żeby wynieśli chorego milicjanta.

– A z wami, obywatelu, jeszcze sobie pogadamy – wycedził surowo do pana Surmy.

Sakso-wiolonczelista siedział milczący i nieszczęśliwy na swoim łóżku. Markowi zrobiło się go żal.

– Panie Anatolu, ja wiem, że pan chciał jak najlepiej. Ja rozumiem... ja...ja wierzę, że pan ma rację. Tu na pewno ktoś był – powiedział.

– Dziękuję ci, dziecko – pociągnął nosem pan Surma – dziękuję ci za to, że kiedy okoliczności sprzysięgły się przeciwko mnie, nie opuściłeś starego przyjaciela. I za to, że mnie rozumiesz.

– Och, panie Anatolu, ja pana strasznie dobrze rozumiem, bo przeciw mnie też się sprzysięgają okoliczności.

ROZDZIAŁ III

Człowiek o ptasiej twarzy. Roztargniony Wacio zwraca tornister. Wycieczka do Młocin. Gdzie się zapodział Marek? Telefony szpitalne. Pan Anatol Surma przechodzi od słów do czynów

Kiedy nazajutrz Marek wracał ze szkoły, zauważył pod bramą ubogo odzianego człowieka o ptasiej główce i zapadłych policzkach. Człowiek ten czekał, trzymając za rękę chłopca o zabandażowanej głowie i znajomych rysach. Markowi serce zabiło z wrażenia. Przecież to ten chłystek ze skweru Worcella. Musiał sobie skaleczyć ucho, jak wpadł na te szyby, i dlatego zabandażowany. On miał takie odstające uszy, że na pewno skaleczył się w ucho. W ręku trzymał tornister Marka. Pewnie przyszedł mu zwrócić. A ten cherlawy z ptasią główką to jego ojciec.

Marek przystanął. Tamci podeszli do niego.

– Dzień dobry, chłopcze! – człowiek o ptasiej główce miał piskliwy głos i uśmiechał się bezzębnymi ustami.

– Dzień dobry!

– Domyślasz się pewnie, kto jesteśmy i po cośmy przyszli. Mój synek Wacio chce ci zwrócić tornister i przeprosić cię za pomyłkę. Bardzo się wczoraj zmartwił, kiedy zauważył, że zamienił niechcący tornistry... One są takie same, pewnie z tej samej fabryki... teraz dużo jest rzeczy z tej samej fabryki... i łatwo się pomylić. Chyba nie gniewasz się, świerszczyku mój?

– Ależ skąd... ja rozumiem – bąknął Marek, ujęty grzecznością cherlawego człowieka.

– Bo widzisz – ciągnął tamten – jesteśmy ubodzy, ale uczciwi, i pomyśleliśmy sobie od razu, że możesz mieć kłopoty z powodu utraty tych zeszytów. Wacio tak się przejął, kochany chłopiec, że nie spał całą noc i nic nie jadł przez cały dzień, aż nam zmizerniał w oczach. To takie wrażliwe dziecko.

Bezzębny człowiek pogłaskał syna po jeżu.

Istotnie „wrażliwe dziecko" wyglądało jeszcze gorzej niż poprzedniego dnia. Prócz bandaża na uszach miało pełno świeżych sińców na policzkach, które potęgowały jego żałosny wygląd. Ale gdy tylko ojciec spuścił na chwilę z niego wzrok, zrobiło wstrętną minę i pokazało Markowi bezwstydnie język.

– No, na co czekasz, Waciu – pochylił się nad nim ojciec – oddaj chłopczykowi jego tornister, a chłopczyk odda ci twój. Prawda, Marku?

– Tak, proszę pana – szepnął Marek zdziwiony, skąd człowiek o twarzy ptaka zna jego imię. Ale przypomniał sobie, że przecież w tornistrze były zeszyty podpisane imieniem i nazwiskiem, więc właściwie nie ma się czemu dziwić.

Wacio spojrzał na Marka spode łba i wręczył mu tornister. Ale takim ruchem, jakby miał zamiar rąbnąć Marka.

– A sprawdź, Marku, czy czego nie brakuje – dodał człowiek o ptasiej główce.

Marek zajrzał do środka. Wszystko było w porządku – książki i zeszyty, a w klaserze do znaczków pocztowych nie brakowało żadnego znaczka, nawet tego najcenniejszego z nowego państwa murzyńskiego Ghany.

– Dziękuję panu – uśmiechnął się Marek – to bardzo miłe z pana strony, że pan się fatygował. Proszę, niech pan trzyma, to jest tornister pana synka.

Stary wziął tornister i nie zaglądając do środka, uścisnął rękę Marka.

– Jeszcze raz cię przepraszamy, zapomnij o tym wszystkim, te tornistry były naprawdę do siebie bardzo podobne.

– Tak, proszę pana. One są zupełnie jednakowe. Na pewno są z tej samej fabryki.

Marek był tak uradowany, że nawet uśmiechnął się do tego wstrętnego chłopaka, ale tamten pozostał naburmuszony i zły.

★

Nie zdołało to jednak popsuć na szczęście humoru Marka. Wracał do domu, wymachując tornistrem. Nie przypuszczał, że wszystko zakończy się tak szczęśliwie i tak szybko. Rzeczywiście z tym włamaniem to musiało się panu Surmie zdawać. Artyści mają wybujałą wyobraźnię. Nie było żadnego włamania. A nawet jeśli było, to nie może mieć nic wspólnego z tornistrem. Tornister nie był przecież ruszony. Nic z niego nie zginęło.

Że też taka myśl mogła mu się przyczepić. To wszystko przez ten sen. Głupi sen. A sen stąd, że miał nieczyste sumienie. Nagle znów przyszedł mu na myśl ten drągal o końskiej twarzy. Dlaczego go gonił? Dlaczego śledził? A jeśli to on był w pokoju, jeśli to jego pan Surma zobaczył wtedy skaczącego przez okno? Szkoda, że nie wspomniał o tym temu staremu z ptasią główką. Może on by coś wyjaśnił, może zna tego Okularnika. I o włamaniu trzeba było wspomnieć. Ciekawe, co by on na to powiedział.

Marek obejrzał się, ale starego już nigdzie nie było.

★

Po obiedzie opowiedział o tym wszystkim Cześkowi. Nigdy nie miał tajemnic przed Cześkiem, więc opowiedział wszystko. I chyba dobrze zrobił.

Od razu mu ulżyło. Czesiek powiedział, że nie ma się co przejmować, że to wszystko z nerwów. Pod koniec roku szkolnego tak zawsze... On sam z byle czego też robi widły. „To nerwy i przemęczenie" – powiedział. I zabrał Marka do Młocin, bo tam był jeden facet, co chciał sprzedać okazyjnie maszynkę spirytusową, a Marek z Cześkiem wybierali się w czasie wakacji na wycieczkę rowerową na Mazury i chcieli koczować na własną rękę. Taka maszynka bardzo by się im przydała.

Kiedy wrócili, już się ściemniało. Rozstali się jak zwykle przed domem Cześka, bo Czesiek mieszkał bliżej. Umówili się, że na jutro Marek skombinuje od cioci

Dory denaturat do maszynki. Ciocia Dora miała go pod dostatkiem, bo stale używała do dezynfekcji.

– Pamiętaj! – krzyknął za nim Czesiek.

– Załatwione! – zawołał Marek i zniknął za zakrętem ulicy.

★

Była już godzina dziewiąta, a w domu państwa Piegusów wciąż jeszcze czekano z kolacją na Marka. Pani Piegusowa patrzyła niespokojnie w okno, a pan Piegus chodził od ściany do ściany i zacierał nerwowo ręce.

– Mówiłem, że ten chłopak coś ukrywa. Musiał coś zbroić wczoraj.

– Tak, minę miał cały dzień niewyraźną – mruknęła pani Piegusowa.

– Głowę bym dał, że wczoraj uciekł z lekcji. Kiedy on zaczyna opowiadaćniestworzone historie, to znaczy, że coś przeskrobał. Dokąd on właściwie pojechał?

– Mają jakieś swoje tajemnice. Zaraz po obiedzie pojechał rowerem do Cześka i dotąd go nie ma. Gdzie on się może włóczyć?

– Pewnie dostał się w złe towarzystwo – powiedział pan Piegus. – Kiedy byłaś w sanatorium, rozbestwił się niemożliwie. Pamiętasz ten stłuczony żyrandol i zmiażdżoną wiolonczelę pana Surmy?...

– Albo jak zapchlił mieszkanie – westchnęła pani Piegusowa. – A te jego wybryki szkolne w dzień imienin pani Okulusowej? Co to był za wstyd.

– Nie wspominaj mi o tym – przerwał jej pan Piegus – to było straszne.

– Czesiek go do tego wszystkiego popycha. Ten łobuz. A teraz jeszczeszaleją na dodatek na rowerach. Bóg wie, gdzie pojechali tymi rowerami – westchnęła pani Piegusowa.

– Teraz wszędzie niebezpiecznie. Wszędzie te budowy, ciężarówki... autobusy – dodał pan Piegus.

– I zwariowani motocykliści.

Tak mówili rodzice Marka, ale naprawdę to jeszcze nie wierzyli, żeby się synowi coś stało. Zasiedli więc w końcu do kolacji, bo kuzyn Alek raz po raz zaglądał do kuchni głodny, a dziewczynki były bardzo śpiące. Zachodziła obawa, że usną przy stole.

Kolację zjedzono w milczeniu, a po kolacji wszyscy od razu wstali. Kuzyn Alek poszedł do siebie, dziewczęta zniknęły w sypialni. Ojciec wziął do rąk „Express" i próbował czytać.

Dopiero gdy wybiła dziesiąta, ten pozorny spokój prysł. Ojciec odłożył gazetę. Matka przerwała nagle zmywanie.

– Nie... już dłużej nie mogę! – zawołała. – Tymoteuszu, musisz coś przedsięwziąć.

– Pójdę do tego Cześka – zadecydował ojciec.

Włożył kapelusz i udał się na ulicę Deszczową, gdzie mieszkał Czesiek. Czesiek bardzo się zdziwił na widok pana Piegusa.

– Co się stało? – wytrzeszczył oczy.

– Marek jeszcze nie wrócił.

– Nie wrócił? Niemożliwe!

– Nie wiesz, co się z nim mogło stać?
– Nie wiem, proszę pana.
– Byliście razem na rowerach...
– Byliśmy w Młocinach, proszę pana, ale...
– Kiedy wróciliście?
– O ósmej, najwyżej pięć po ósmej.
– Patrzyłeś na zegarek?
– Nie, ale jak wszedłem do domu, to radio nadawało właśnie dziennik wieczorny.
– Gdzie się rozstaliście?
– U mnie pod domem. Widziałem, jak odjechał ulicą w stronę swojego domu.
– I nie widziałeś go już potem?
– Nie.
Pan Piegus nie pytał o nic więcej i od razu poszedł na milicję.

★

– Niech się pan nie niepokoi – powiedział dyżurny oficer. – Chłopak na pewno wróci, to spokojna dzielnica.
– Ale co się z nim mogło stać, czemu go dotąd nie ma?
– Bawi się gdzieś. Rodzice nie znają teraz swoich dzieci. Pewnie spotkał jakiegoś kolegę i pojechał do niego.
– Nigdy dotąd tego nie robił – szepnął ojciec.
– Jest pan pewien? – milicjant uśmiechnął się sceptycznie. – Zresztą to jeszcze o niczym nie świadczy. Kiedyś musiał to zrobić.
– Musiał?

– No, każdemu chłopcu zdarza się, że w końcu zrobi coś dziwnego, czego się po nim nikt nie spodziewa. Pan mówił, że on wpadł w złe towarzystwo.

– Tak przypuszczamy.

– Więc nie ma się czemu dziwić, że raz zdarzy mu się później wrócić do domu. Tylko czy naprawdę jest pan pewien, że to pierwszy raz? – oficer znów uśmiechnął się sceptycznie.

– Ależ taki!

– Niech pan sobie dobrze przypomni!

– Zaręczam panu, że nigdy... to znaczy... – pan Piegus zmieszał się nagle – to znaczy... hm... owszem, przypominam sobie, że raz spędził noc w Lasku Bielańskim pod słoniem z dykty, ale...

– No, widzi pan – westchnął milicjant.

– Ale to był doprawdy wyjątkowy zbieg okoliczności. Zresztą skręcił sobie wtedy nogę. Może i teraz... jakiś wypadek... tyle jest wypadków ulicznych...

– Wątpię. Na ogół nam meldują o wypadkach, a my nie mamy żadnych meldunków.

– A jeśli o tym wypadku nikt nie zameldował? Jeśli na przykład... na przykład ten, kto go...

– Myśli pan, że kierowca, który go potrącił czy przejechał, mógł go od razu zawieźć do szpitala? – podjął milicjant. – Owszem, to się zdarza, ale wówczas mamy meldunki ze szpitali. Tylko, że to się wtedy trochę opóźnia...

– Mówi pan...

– Tak, opóźnia się. Dlatego, jeśli pan podejrzewa, że to mógł być wypadek, niech pan dzwoni do szpitali. Może go tam pan znajdzie.

– A jeśli nie...

– To wtedy proszę zatelefonować do nas. Rozpoczniemy poszukiwania. – Milicjant wyciągnął rękę do zbolałego ojca. – Niech pan nie traci otuchy. Kto wie, czy tam już w domu ten zuch nie czeka na pana.

Pan Piegus wrócił do domu ze skrytą nadzieją, którą mu zaszczepił porucznik milicji, ale spotkał go zawód. Marek nie wrócił.

– Na pewno jakiś wypadek – rzekła drżącym głosem matka i otarła oczy.

Ojciec w milczeniu wziął książkę telefoniczną.

– Co chcesz robić, Tymoteuszu? – zapytała matka.

– Będę dzwonił do szpitali.

– Myślisz, że on naprawdę mógłby... zostać... przejechany?

Matka chwyciła go za rękę.

– Nie, nie myślę – ojciec pogładził ją po dłoni – ja... tylko tak... dla porządku. Gazeta podawała, że tego dnia dyżur chirurgii dziecięcej miała mieć klinika na Działdowskiej i tam pan Piegus zadzwonił najpierw.

– Czy... czy przywieziono do was jakieś dzieci z wypadków?

– Czterdzieści troje.

– Mnie chodzi o chłopca, czy przywieziono chłopca z wypadku ulicznego?

– Takich mamy dwunastu.

– Ale po godzinie ósmej...

– Po ósmej przywieziono trzech.

– On był z rowerem...

– Owszem, jest taki chłopiec...

– Co mu się stało?

– Nie uważał na skrzyżowaniu i wpadł pod tramwaj. Ma obie nogi ucięte.

Pan Piegus o mało nie wypuścił słuchawki. Czoło pokryło się zimnym potem.

– Co się stało, Tymoteuszu? – przelękła się pani Piegusowa.

– Nic – zachrypiał nieswoim głosem pan Piegus.

– Jakaś straszna wiadomość... ty kłamiesz – pani Piegusowa wyrwała mu słuchawkę.

– Czy to ojciec dziecka z rowerem – usłyszała.

– Nie, matka. Chodzi o Marka Piegusa...

– Nazwiska nie znamy. Chłopiec jest nieprzytomny z powodu upływu krwi.

– Ma trzynaście lat – wykrztusiła matka.

– Wiek się zgadza. Poproszę dyżurnego lekarza.

– Pani jest matką tego chłopca z rowerem? – zabrzmiał głos lekarza.

– Nie wiem... nie wiem... – załkała matka – wiem tylko, że mój syn nie wrócił do domu, i boję się...

– Jak on wyglądał?

– Ma bardzo jasne włosy i dużo piegów.

– To nie ten. Chłopiec z uciętymi nogami ma włosy czarne – lekarz odłożył słuchawkę.

Matka oparła się rękami o stolik i oddychała ciężko.

– To nie on – szepnęła z ulgą do ojca.

Ojciec zadzwonił teraz do szpitala na Oczki, gdzie też, jak podawała gazeta, był dyżur i gdzie zwozili ludzi z wypadków z całego miasta.

– Niech pan chwilę zaczeka. Właśnie przed minutą pogotowie przywiozło do nas jakiegoś chłopca, który wpadł z rowerem pod samochód.

Ojciec spocił się w jednej chwili.

– Co się stało? – czujne oczy matki zauważyły zmianę na jego twarzy.

– Jeszcze nic – szepnął – zaraz się dowiemy.

Czekali prawie pięć minut z napiętymi nerwami. Wreszcie usłyszeli głos:

– Jak wyglądał chłopiec?

– Miał jasne włosy i dużo piegów.

– Toby się zgadzało.

Ojciec struchlał.

– Panie doktorze... czy... czyjego stan jest bardzo ciężki?

– Bardzo. Ma zgniecioną klatkę piersiową. Robimy, co możemy, ale dotąd nie odzyskał przytomności. Pan sądzi, że to pański syn?

– Nie wiem... boję się... jeśli ma piegi...

– Ma dużo piegów. A jak był ubrany?

– Jak był ubrany Marek? – zapytał pan Piegus żonę.

Pani Piegusowa wyrwała mu słuchawkę.

– Miał harcerski, zielony mundurek – wyszeptała zbielałymi wargami i zastygła w oczekiwaniu.

Po tamtej stronie telefonu cisza przedłużała się w nieskończoność. Matka przygryzła wargi aż do krwi. Wreszcie nie wytrzymała napięcia i ze szlochem rzuciła słuchawkę ojcu.

– Nie... nie mogę... ty słuchaj.

Ojciec ujął drżącą dłonią słuchawkę.

– Panie doktorze...

– Kto mówi?

– Ojciec... Ojciec Marka Piegusa, tego chłopca z rowerem.

– Niech pan dziękuje Bogu – odpowiedział lekarz – to nie on. Chłopiec, którego przywieziono, był w czerwonym dresie.

Pan Piegus otarł czoło.

– Tak, to nie on – wyszeptał – mój syn nie ma czerwonego dresu.

– Tak, on nie ma czerwonego dresu – powtórzyła pani Piegusowa.

Dzwonili jeszcze do północy do wszystkich szpitali i oddziałów pogotowia ratunkowego. Wreszcie ojciec zrezygnowany odłożył słuchawkę i zamknął książkę telefoniczną.

– Nigdzie go nie ma... a więc to chyba nie jest wypadek.

Ale nikt nie odetchnął. Nie wiadomo było, czy się z tego cieszyć, czy martwić.

– Mogli go nie zawieźć do szpitala ani nie wzywać pogotowia – powiedział ponuro kuzyn Alek. – Kierowca, który go przejechał, mógł się przestraszyć i ukryć zwłoki.

– Alek – krzyknęła pani Piegusowa – jak możesz... takie przypuszczenia.

– Ja przecież nie mówię, że tak było, ja tylko myślę, ja się tylko zastanawiam.

– To się zastanawiaj cicho.

Alek spuścił głowę.

– Nie widzę innego wyjścia – powiedział cicho ojciec – trzeba dzwonić na milicję.

I nakręcił numer komisariatu.

W komisariacie powiedzieli, że rozpoczną poszukiwania, i obiecali zadzwonić, jak tylko będą mieli jakąś wiadomość o Marku. Przez całą noc nikt w domu Piegusów nie zmrużył oka, jednak telefon milczał jak zaklęty do rana.

★

O godzinie drugiej w nocy, jak zwykle, wrócił z kabaretu pan Surma i zdziwił się, że nikt nie śpi. Kiedy opowiedziano mu o nieszczęściu, przez chwilę słowa nie mógł wykrztusić z wrażenia. A potem opadł na krzesło i ukrył twarz w dłoniach.

– To był taki dobry chłopak... taki dobry chłopak – powtarzał szeptem – chociaż nie wszyscy się na nim poznali. Bo on miał takiego strasznego pecha, że ilekroć chciał robić dobrze, wszystko się obracało przeciw niemu.

– Niech pan nie mówi tak jak na pogrzebie – załkała pani Piegusowa.

Pan Surma ucichł, ale nie mógł sobie miejsca znaleźć. Zerwał się z krzesła i zaczął chodzić tam i z powrotem po pokoju, zakładając sobie i zdejmując ze zdenerwowania wąsy.

– To straszne... to niebezpieczne – powiedział nagle, stając przed panem Piegusem. – Boję się, że wpadł w jakąś okropną aferę. Z tym swoim pechem. Najgorsze, że to przede wszystkim nasza wina.

– Nasza? – wykrzyknął pan Piegus.

– Byliśmy bardzo nierozsądni. Marek opowiadał nam przecież o swoim wypadku na skwerze Worcella.

– Pan myśli, że ta historia z tornistrem ma jakiś związek... – przerwał gorączkowo ojciec.

– Jeśli wszystko miało taki przebieg, jak mówił Marek, jeśli uwzględnimy tego Okularnika o końskiej twarzy, który go gonił, włamanie do mieszkania, to rzeczywiście historia staje się bardzo podejrzana.

– Myśli pan, że...

– To wszystko były znaki ostrzegawcze – podniósł do góry palec pan Surma – niestety, zostały zlekceważone i przez nas, i przez milicję.

To powiedziawszy, pan Surma znów zaczął chodzić po pokoju i znów nie mógł sobie miejsca znaleźć. W ślad za nim zaczął chodzić pan Piegus. I tak chodzili przez godzinę.

Wreszcie pan Surma wziął wiolonczelę i zaczął grać bardzo minorowo i żałośnie, a wiolonczela płakała, żaliła się i łkała jak człowiek.

– Niechże pan przestanie! – wybuchnęła ze łzami w oczach pani Piegusowa. – Czy pan nie rozumie, w jakim jesteśmy nastroju, ta muzyka rozstroi nas do reszty.

Pan Surma włożył wiolonczelę do futerału i zatrzasnął go z grobowym trzaskiem, jak gdyby to była trumna.

– Ma pani rację – powiedział do matki Marka – nie czas na granie, czas na czyny. Jako człowiek aktywny, postanowiłem zdobyć się na czyn.

– Co pan chce zrobić? – rodzice zaniepokoili się zdecydowaną miną pana Anatola.

– Idę szukać mojego przyjaciela Marka.

– Gdzie?

– Wszędzie. Nie wolno biernie czekać. Trzeba działać. Trzeba podjąć wszelkie środki.

– Czy pan potrafi?...

– Zrobię, co w mojej mocy – rzekł spokojnie pan Surma.

Rodzice patrzyli na niego zaskoczeni.

– Dziękuję panu – ojciec uścisnął mu rękę – pan jest porządnym człowiekiem, panie Anatolu. Bardzo nam przykro, że wczoraj nie doceniliśmy pana dobrej woli... Ale proszę, niech się pan nie naraża... wystarczy, jeśli milicja...

W odpowiedzi pan Surma uśmiechnął się tajemniczo i oddawszy uścisk ręki, opuścił dom.

ROZDZIAŁ IV

Czarny rower nad Wisłą. Hipoteza porucznika Prota. Detektyw Hippollit Kwass. Kto manipulował wytrychami? Tajemnica waleriany. Do czego przyznał się Alek?

O siódmej rano wpadł do domu państwa Piegusów Czesiek.

– Czy Marek wrócił? – zapytał od progu.

Rodzice Marka milczeli.

– Nie ma żadnych wiadomości?

– Nie – powiedział smutno pan Piegus.

Czesiek spojrzał na niego przestraszony.

– A więc on naprawdę zginął?

W tej samej chwili zadzwonił telefon. Wszyscy rzucili się do aparatu. Mówiła milicja. Nad Wisłą w okolicy Wybrzeża Gdańskiego znaleziono męski rower sportowy marki „Bałtyk" i wzywano pana Piegusa do komisariatu rzecznego MO w celu zidentyfikowania, czy to nie jest przypadkiem rower Marka.

– Jak ja rozpoznam – powiedział zdenerwowany pan Piegus do żony – takich rowerów jest w Warszawie tysiące, a ja nie pamiętam nawet, jakiego koloru był rower Marka. Chyba że ty...

– Wiem tylko, że to był czarny rower – powiedziała matka.

– Czarnych rowerów jest co najmniej połowa. Może ty byś rozpoznał? – pan Piegus zwrócił się do Cześka.

– Nie wiem, proszę pana... ale może poznałbym... wiem, że on nie miał kapturka u wentyla na tylnym kole i że miał odrapane z prawej strony widełki, bo raz wjechaliśmy na drzewo, a poza tym... poza tym... pamiętam, że miał okrągłą czerwoną łatkę w przedniej dętce, bo sam pomagałem Markowi reperować, jak „złapał gumę".

– Wystarczy – przerwał ponuro pan Piegus. – Jedziemy do komisariatu rzecznego.

★

– Tak, to jest na pewno rower Marka – powiedział Czesiek do porucznika Prota, obejrzawszy „Bałtyka" w komisariacie rzecznym. Chciał powiedzieć coś więcej, ale ujrzawszy, że twarz pana Piegusa zbladła jeszcze bardziej, umilkł.

– Gdzie panowie znaleźli ten rower? – zapytał cicho pan Piegus.

Porucznik Prot wahał się chwilę.

– Nad Wisłą w okolicy Wybrzeża Gdańskiego.

Pan Piegus ukrył twarz w dłoniach.

– Boże... Boże... – wyszeptał.

– Nie trzeba myśleć od razu o najgorszym, obywatelu – próbował go pocieszyć oficer. – Chłopak się znajdzie.

– Zdaje się, że to... to jest jasne... co się z nim stało, podniósł zaczerwienione oczy pan Piegus.

– To jest tylko poszlaka – potrząsnął głową porucznik, ale ona jeszcze niczego nie dowodzi... rower mógł zostać skradziony... mógł także... – porucznik znów się zawahał.

– Niech pan skończy – ojciec wpatrywał się w niego z napięciem.

– Mógł także być umyślnie podrzucony, żeby upozorować utopienie się chłopca.

– Myśli pan?

– To jest zupełnie prawdopodobne. Ja osobiście odrzucam myśl, że chłopak kąpał się w tym miejscu. Znaleźlibyśmy przecież ubranie. Tymczasem ubrania nie ma. Zresztą, co by mu strzeliło do głowy kąpać się po ciemku w takim miejscu.

– To był postrzelony chłopak, pan go nie znał.

– Nie, to nieprawdopodobne – kręcił głową porucznik Prot – mnie osobiście bardziej intrygują te pokrzywione szprychy w kołach roweru.

– Sądzi pan, że to na skutek wypadku?

– Nie, gdyby chłopiec został przejechany, rower miałby inne, poważniejsze uszkodzenia. Te powyginane szprychy wskazują na jedno. Rower był obciążony ponad dopuszczalną normę.

– Obciążony?

– Musiał na nim jechać ktoś bardzo ciężki względnie wieźć z sobą olbrzymi jakiś ciężar. Na kamieniach dętki zaczęły dobijać i nastąpiło wykrzywienie szprych oraz pewne zniekształcenie obręczy.

– Lecz w takim razie...

– W takim razie wątpliwe, by na tym rowerze nad rzeką jechał pana syn. Ile on waży?

– Czterdzieści kilo.

– To detal. Według oceny naszych specjalistów rower musiał zostać obciążony ponadstukilowym ciężarem.

– Jak więc pan wyjaśni zniknięcie chłopaka?

Oficer bębnił palcami po stole.

– To bardzo dziwna historia – powiedział niechętnie. – Trudno mi coś mówić stanowczego na ten temat...

– Jednakże może pan ma jakąś hipotezę?

– Owszem... mamy pewną hipotezę, ale to są tylko przypuszczenia. Otóż... – porucznik przerwał i spojrzał niespokojnie na trupio bladą twarz nieszczęśliwego ojca.

Wstał i wyjął z apteczki małą flaszeczkę i łyżkę.

– Dlaczego pan nie mówi? – zapytał ojciec.

– Powiem panu, ale pod warunkiem, że pan przedtem wypije zapobiegawczo łyżkę tego płynu.

– Co to jest?

– Milicyjny środek na nerwy.

Pan Piegus przełknął łyżkę słodkiej i mdłej mikstury.

– Otóż jest bardzo możliwe, że chłopak został porwany – zakończył porucznik.

Zapadła chwila milczenia.

Gdyby nie środek milicyjny, nie wiadomo, czy biedny ojciec wytrzymałby spokojnie tę straszliwą hipotezę.

Przez chwilę patrzył na porucznika Prota szeroko rozwartymi oczyma.

– Na jakiej podstawie... – wybełkotał – na jakiej podstawie pan przypuszcza...

– Wszyscy zeznali, że chłopak był niespokojny od dwu dni, miał jakieś podejrzenia... obawiał się, że go ktoś śledzi. Poza tym fakty. Niepokojące fakty. Zamieniono mu tornister... potem odwiedza go jakiś podejrzany osobnik... wreszcie ktoś zakrada się do pokoju... potem nagle zwracają tornister...

– Pan mówi to samo, co nasz sublokator, pan Anatol Surma.

– Widać... ten pan ma zdolności kryminologiczne – odparł z uśmiechem porucznik.

– Lecz jaki cel miałby ktoś w porywaniu mojego syna? Nie chodzi chyba o okup, wszyscy wiedzą, że nie jesteśmy zamożni.

– Zadał pan podstawowe pytanie dla śledztwa – rzekł porucznik Prot. – Gdybyśmy znali odpowiedź, sprawa byłaby wkrótce rozwiązana. Motyw. Oto, co jest niejasne w tej całej historii. Motyw.

– Lecz na razie panowie nie wiedzą?...

– Na razie toczy się śledztwo – odparł oficjalnie porucznik Prot, dając do zrozumienia, że nie wolno mu zdradzać jego przebiegu. Lecz widząc zrozpaczoną twarz pana Piegusa, dodał łagodnie: – Niech pan będzie dobrej myśli. Zrobimy, co w naszej mocy.

★

Niestety, zapewnienie to nie mogło uspokoić nieszczęśliwych rodziców. W domu zapanowało przygnębienie graniczące z rozpaczą.

W dodatku zawieruszył się także gdzieś pan Surma. Od czasu jak wyszedł o godzinie trzeciej w nocy na poszukiwanie chłopca, nie było od niego żadnych wiadomości. Nie zjawił się na śniadanie, które jadał o dziesiątej godzinie. Również o godzinie jedenastej, o której zwykle zaczynał swoje ćwiczenia na wiolonczeli, w pokoju było jeszcze zupełnie cicho.

Wreszcie o godzinie dwunastej przyszedł nareszcie, wprawdzie bez Marka, ale za to z panem Cedurem.

Pan Cedur, wykwintny i pachnący jak zwykłe, złożył na wstępie wyrazy współczucia rodzicom.

– Biedny piccolo bambino, jestem do głębi wstrząśnięty, una storia misteriosa[7]. To był kochany chłopiec, choć nieco trudny... Ale niech państwo będą spokojni, nie opuszczamy przyjaciół w potrzebie... Oto jest mąż doskonały, uomo perfetto[8], który zajmie się sprawą aż do zwycięskiego końca... – pan Cedur obrócił się i nagle zamarł.

– A gdzież on jest?

– Cały czas szedł za nami – powiedział pan Surma.

Niestety, w przedpokoju nikogo nie było. Pan Cedur otworzył gwałtownie drzwi na klatkę schodową. I wtedy wszyscy ujrzeli małego, wygolonego, łysego jak kolano człowieczka o okrągłych, rumianych policzkach, który stał w progu i uśmiechał się dobrodusznie.

– Oto on... – odetchnął pan Cedur. – Co pan robił tutaj, mistrzu?

– Zbadałem przy sposobności zamek tych drzwi.

– I co pan odkrył?

---

[7] Tajemnicza historia

[8] Człowiek doskonały

– Drzwi były odmykane wytrychem – odpowiedział człowieczek – drzwi były odmykane wytrychem, i to niejeden raz.

– Wytrychem? To niemożliwe! – wykrzyknął pan Piegus. – A w ogóle kto pan jest?

– Przedstaw mnie, przyjacielu – zwrócił się człowieczek do pana Cedura.

– Ach, przepraszam... byłem tak zaskoczony odkryciem mistrza, że zapomniałem. Państwo pozwolą. Oto, uomo perfetto, największy detektyw współczesny maestro Hippollit Kwass.

– Bardzo nam miło – odparła zaskoczona pani Piegusowa – chociaż właściwie...

– Chociaż właściwie – dodał zażenowany pan Piegus – nie słyszeliśmy dotąd o panu.

– Detektyw Hippollit Kwass obecnie znajduje się w stanie spoczynku i uprawia wyłącznie sztukę c h o r r e o g r a f i c z n ą – wyjaśnił pośpiesznie pan Cedur.

– A... przypominam sobie – wykrzyknął kuzyn Alek – to pan rozwiązał tajemnicę pantofla treningowego w klubie Sparta. Jakże się cieszę, panie Hipolicie, że mogę uścisnąć pańską dłoń.

Kuzyn Alek potrząsnął ręką detektywa.

– Niewłaściwie wymawiasz moje imię, przyjacielu – zauważył detektyw Kwass. – Moje imię ma dwa „p" i dwa „l".

– Przepraszam... Ale nie słyszałem o takim imieniu.

– Istotnie, nikt inny, przyjacielu, nie nosi takiego imienia, lecz ja zmuszony zostałem przez okoliczności do zmiany mojego imienia i nazwiska.

– Któż mógł pana zmusić?

– Trzystu dwudziestu ośmiu Hipolitów Kwasów. Tylu ich żyło przed laty w naszym kraju. Wtedy, kiedy ja uprawiałem intensywną działalność detektywistyczną.

– Nie rozumiem.

– Chleb detektywa jest ciężki, a cóż dopiero, mój chłopcze, sławnego detektywa. Kiedy gazety zaczęły o mnie pisać, kiedy bandyci zaczęli dybać na moje życie, kobiety uwielbiać, a młodzież pisać do mnie listy, zrobiło się straszne zamieszanie, bo ja, przyjacielu, umiem zmieniać skórę jak rękawiczki i wobec tego gazety pisały, bandyci napadali, kobiety uwielbiały, a młodzież pisała listy do trzystu dwudziestu ośmiu Hipolitów Kwasów, którzy żyli wtedy w naszym kraju, bo nikt nie wiedział, który z tych trzystu dwudziestu ośmiu Hipolitów Kwasów jest owym sławnym detektywem.

Nic więc dziwnego, że owych Bogu ducha winnych trzystu dwudziestu ośmiu Hipolitów Kwasów, jacy żyli wtedy w naszym kraju, podniosło alarm i założyło protest przeciw mojej działalności, która ich narażała na różne niespodzianki i przykrości, a nawet niebezpieczeństwa. W rezultacie dla świętego spokoju musiałem przybrać dodatkowe litery do mojego imienia i nazwiska i odtąd nazywam się, przyjacielu, wyłącznie H i p p o l l i t K w a s s.

Kuzyn Alek chciał jeszcze o coś zapytać, ale detektyw Kwass już się zabrał do pracy i skrupulatnie oglądał okno.

– Milicja już tu pracowała? – zapytał.

– Tak – skinęła głową pani Piegusowa. – Dzisiaj rano, gdy mąż był w komisariacie rzecznym, przyjechała ekipa speców kryminalistyki. Opylali okno jakimś proszkiem, potem je badali, fotografowali, a potem czegoś szukali w ogródku.

– Widzę – powiedział Hippollit Kwass. – Była to jednak robota daremna. Jeśli sobie państwo przypominają, tej nocy była przecież ulewa, wszelkie więc ślady pod oknem i na ścieżce zostały zatarte... Jeśli zaś chodzi o okno... to państwo zatarli tam ślady sami... O ile się nie mylę, państwo zamknęli okno zaraz po ucieczce złodzieja.

– Tak, to prawda – powiedziała pani Piegusowa. – Nie wierzyliśmy, że to mógł być złodziej, zresztą baliśmy się.

– No i jeszcze padał deszcz – zauważył pan Hippollit Kwass.

– Tak, padał deszcz i dmuchał wiatr.

– I parapet pewnie był mokry, i pani go wytarła, jak przystało dobrej gospodyni.

– Tak, proszę pana. Zgadł pan. Ponieważ okno było otwarte tej nocy, parapet był cały mokry, a woda nalała się nawet do pokoju. Musiałam więc wytrzeć, a potem wezwaliśmy szklarza, żeby wstawił nową szybę, bo tę starą pan Surma stłukł butem, szklarz też napaprał i trzeba było po nim umyć całe okno.

– Tak – westchnął Hippollit Kwass – spodziewałem się tego. Mało kto umie zabezpieczać ślady. Okno zostało dwa razy umyte, a więc żadnych śladów niebędzie. To komplikuje sprawę. Wątpię, czy milicja coś tu teraz poradzi. Zresztą większość przestępców działa w rękawiczkach i nie zostawia odcisków palców.

– Więc co teraz zrobimy? – zapytał zmartwiony Alek.

– No cóż, spróbujemy dać sobie radę inaczej, mój chłopcze. Nie pierwszy raz zdarza się taka sprawa. Mamy tu za to bardzo ciekawe ślady wytrychów na drzwiach wejściowych...

– Wytrychów? – Alek zbladł.

– Tak jest, wytrychów... co wskazuje na to, że złodziej mógł przeniknąć drzwiami, mógł przeniknąć drzwiami, przyjaciele... I to wielokrotnie.

– Wielokrotnie? – przeraziła się pani Piegusowa.

– Wielokrotnie. O tym świadczą ślady, rysy i zgięcia na zamku... bardzo stare, dość stare... świeższe i najświeższe. Tak jest, proszę państwa. Mieszkanie było nawiedzane przez opryszków, manipulujących wytrychami – oczy Hippollita Kwassa błyskały złowrogo.

– Wytrychami... wielokrotnie... och, to straszne! – pani Piegusowa oparła się wstrząśnięta na ramieniu męża.

– Niestety... co mnie zadziwia, to styl tych manipulacji. Czyżby pojawił się jakiś nowy, nieznany mi opryszek-włamywacz? – ciągnął pan Hippollit Kwass, oglądając przez szkło powiększające rysy w zamku. – Tak nie manipuluje żaden ze znanych mi włamywaczy. To byłoby tragiczne dla sprawy, gdyby wmieszał się tu jakiś nowy, nieznany mi opryszek.

– Czy to jest możliwe, panie Hippollicie? – zapytał zmartwiony pan Cedur. – Pan przecież, maestro mio, zna ich wszystkich bez wyjątku.

– Życie idzie naprzód, przyjacielu, a ja, jak wiesz, od kilku lat przeszedłem w stan spoczynku, poświęciwszy się wyłącznie sztuce chorreograficznej. Przez ten czas mógł wypłynąć nowy opryszek. Ale nie uprzedzajmy faktów... najpierw sprawdzimy jeszcze jedną ważną okoliczność. Niezmiernie ważną okoliczność, powiedziałbym, decydującą okoliczność. Panie Anatolu, chciałem zadać panu jedno małe pytanko.

– Słucham pana.

– Przejdźmy naprzód do wnętrza... to jest do pana pokoju – powiedział detektyw Kwass, chowając szkło powiększające.

★

Kiedy znaleźli się w pokoju, detektyw Kwass poprosił pana Surmę, by usiadł i skupił się, sam zaś otworzył swoją małą walizeczkę i zaczął z niej wyciągać różne maleńkie flakoniki z hermetycznymi korkami.

– Pan twierdzi i utrzymuje, panie Anatolu, iż spłoszył pan złodzieja.

– Tak twierdzę i utrzymuję.

– Proszę teraz uważać. Pan wpada do pokoju...

– Wpadam do pokoju – powtórzył w napięciu pan Surma.

– Widzi pan opryszka w oknie.

– Widzę opryszka w oknie.

– Węszy pan...

– Węszę... no nie, nie węszyłem.

– Jednakże czuł pan jakiś zapach.

– Zapach? – zdumiał się pan Surma.

– Niech pan się zastanowi, niech pan sobie przypomni, czy poczuł pan jakiś zapach, gdy wszedł pan do pokoju – nalegał Hippollit Kwass.

– Rzeczywiście – szepnął pan Surma – w pokoju był jakiś dziwny zapach.

– Czy może pan określić go bliżej?

– Nie... chyba nie... to był jakiś niezwykły zapach.

– Doskonale – mruknął detektyw Kwass i nagle podsunął zaskoczonemu panu Surmie od nos mały flakonik.

– Czy to?

Pan Surma powąchał nieufnie.

– Ładnie pachnie.

– Ja się nie pytam, czy ładnie pachnie, tylko czy to jest ten zapach, jaki pan poczuł, wchodząc do pokoju? Gdyby to był ten zapach, to znaczyłoby, że mamy do czynienia z doktorem Bogumiłem Kadryllem, znakomitym kieszonkowcem.

– Dlaczego?

– Jest to zapach jaśminu, a doktor Bogumił Kadryli pracuje zawsze w stroju wizytowym suto zroszonym najlepszymi perfumami jaśminowymi. Perfumy jaśminowe to słabość doktora Bogumiła Kadrylla. Jest to zapewne słabość niebezpieczna, gdyż naraża go na zdemaskowanie, jednakże doktor Bogumił Kadryli nie może się powstrzymać od używania tych perfum. Każdy przestępca ma jakąś słabość, proszę państwa. A więc, panie Anatolu, czy to był ten zapach?

– Nie... to nie był żaden przyjemny zapach, a raczej... – skrzywił się pan Surma – fetor, czyli odór.

– Rozumiem – rzekł detektyw Kwass i błyskawicznie podsunął panu Surmie pod nos nowy flakonik.

Pan Surma odsunął się ze wstrętem.

– Nie, to nie to. Jak pan mógł mi dać do wąchania coś takiego?

– Może to?

– Nie – kichnął pan Surma – to przecież amoniak.

– A to?

Pan Surma powąchał kolejny flakonik i zamrugał oczami.

– Chyba to.

– Czy jest pan pewien? Proszę dobrze powąchać. – Pan Surma wysiąkał nos i poruszał nozdrzami.

– Tak, to na pewno to. Poznaję. To był ten zapach.

– A więc W a l e r i a n a – orzekł triumfalnie detektyw Kwass, ale zaraz zachmurzył się. – Waleriana – powtórzył, gładząc sobie brodę. – Niedobrze. To znaczy, że do mieszkania wtargnął W i e ń c z y s ł a w N i e s z c z e g ó l n y. Czyli, że sprawa jest poważna, proszę państwa. Wieńczysław Nieszczególny to najbardziej przebiegły, najzręczniejszy, najniebezpieczniejszy opryszek świata podziemnego stolicy... Co on mógł tutaj robić?... Po co on tu przychodził? – zamyślił się detektyw Kwass. – Nie podoba mi się to wcale... kroi się jakaś brzydka sprawa... Pański synek, panie Piegus, musiał się zaplątać w jakąś paskudną historię.

Rodzice patrzyli z przerażeniem na detektywa Kwassa.

– Czy pan jest pewien, panie Hippollicie – zasapał pan Surma – czy pan jest pewien, że to Wieńczysław Nieszczególny?

– O, co do tego nie mam żadnych wątpliwości. Waleriana – to tłumaczy wszystko. Tylko Wieńczysław Nieszczególny zawsze nosi przy sobie walerianę, gdyż zwykł był przed każdą akcją zażywać trzydzieści kropel.

Co innego, proszę państwa, gdybyśmy mieli do czynienia z zapachem śliwowicy. Gdybyśmy mieli do czynienia z zapachem śliwowicy, wskazywałoby to od razu na Alberta Flasza, przestępcę alkoholika, szefa największej bandy złodziejskiej w stolicy, obdarzonego wybitnymi zdolnościami i nie mniejszym okrucieństwem.

Natomiast zapach benzyny na miejscu przestępstwa wskazywałby niedwuznacznie na Teofila Bosmanna, zbrodniarza-atletę, ohydnego szantażystę, zwanego także Teosiem-Dusicielem albo Czarnopalcym, ponieważ do akcji zakłada czarne rękawiczki, które stale pierze w benzynie, bo wciąż mu się zdaje, że są brudne.

Lecz kiedy czujemy zapach waleriany, o pomyłce nie może być mowy. Diagnoza jest jedna – Wieńczysław Nieszczególny, proszę państwa.

– Pan zna ich tak dobrze wszystkich – szepnęła z podziwem zmieszanym ze strachem pani Piegusowa,

Hippollit Kwass uśmiechnął się skromnie.

– Trzydzieści lat praktyki, szanowna pani.

– Praktyki detektywistycznej?

– Nie tylko – Hippollit Kwass zamyślił się smętnie.

– Pan Hippollit długo praktykował wśród przestępców, by zdobyć niezbędne doświadczenie – wyjaśnił z pewnym zakłopotaniem pan Cedur.

– Och... jak mam to rozumieć? – przestraszyła się pani Piegusowa.

Hippollit Kwass chrząknął.

– Byłem niegdyś przestępcą, szanowna pani, lecz zawróciłem z tej zgubnej drogi na skutek moralnego wstrząsu.

– Och, pan był p r z e s t ę p c ą!- pani Piegusowa dyszała przerażona.

– Mówię szczerze. Byłem znanym złodziejem, szanowna pani, lecz już ćwierć wieku temu zawróciłem ze ścieżki występku i od tego czasu, tępiąc oszustwa, złodziejstwa i zbrodnie, naprawiam zło, które wyrządziłem ludziom.

– Och! – jęknęła pani Piegusowa.

– To niezwykłe – rzekł kuzyn Alek z przejęciem. – Czy mógłby pan nam opowiedzieć o tej przemianie?

– Kiedy indziej, młodzieńcze. Teraz nie mamy czasu. Należy ratować tego biednego chłopca, Marka. Sprawa jest bardziej zawikłana, niż myślałem z początku. Zastanawiam się, od czego zacząć.

– Myślę, że należałoby natychmiast aresztować Wieńczysława Nieszczególnego – powiedział kuzyn Alek.

– W ogóle to dziwne, że pan znając tak dobrze tego przestępcę, pozwala mu przebywać na wolności i grasować – chrząknął pan Piegus.

– Niestety – rozłożył ręce detektyw Kwass – żeby aresztować Wieńczysława Nieszczególnego, trzeba mieć dowody. Żaden sąd nie skaże go bez dowodów. A o dowody winy jest bardzo trudno, gdyż, jak powiedziałem, Wieńczysław Nieszczególny należy do najzręczniejszych przestępców i dokonuje kradzieży w sposób mistrzowski, nie zostawiając żadnych śladów.

– Jak to, a waleriana? – zapytał Alek.

– Zapach waleriany nie jest uznawany za dowód, młodzieńcze, i żaden sąd nie wyda wyroku na podstawie tak ulotnej poszlaki. Dotąd, niestety, nie miałem okazji zebrać bardziej rzeczowych dowodów, gdyż od czasu wojny nie zajmuję się zawodowo praktyką detektywistyczną, jestem, że tak powiem, detektywem na emeryturze i poświęcam się wyłącznie pracy c h o r r e - o g r a f i c z n e j.

– Pan Hippollit Kwass prowadzi szkołę tańców towarzyskich przy ulicy Karolkowej – wyjaśnił pan Cedur. – Na tej właśnie płaszczyźnie zawiązała się nasza przyjaźń.

– Tak jest i jeśli podjąłem się tej sprawy – ciągnął detektyw Kwass – to wyłącznie na skutek prośby mojego przyjaciela pana Cedura, który zajął się tą sprawą na skutek prośby pana Surmy, który z kolei przejął się tą że sprawą jako serdeczny przyjaciel Marka.

To powiedziawszy, Hippollit Kwass wstał z miejsca.

– Lecz dość słów, czas przejść do czynów. Ruszamy do natarcia. Jedna jest tylko rzecz wątpliwa, która komplikuje wszystko. Jeśli Wieńczysław Nieszczególny był w pokoju, to w takim razie dostał się przez okno. Albowiem Wieńczysław Nieszczególny zawsze wchodzi przez okno. Kto więc włamał się przez drzwi? Bo na drzwiach są wyraźne ślady. Ślady, jak powiedziałem, niepodobne do żadnych z tych, które zostawiają znani mi przestępcy.

– I druga sprawa – zauważył pan Surma. – Po co Wieńczysław Nieszczególny zakradł się do pokoju?

– To chyba jasne, żeby porwać Marka – szepnął pan Piegus.

Detektyw Kwass pokiwał zamyślony głową.

– Bardzo dziwna... bardzo niepokojąca sprawa. Pan mówi, że po to, by porwać Marka. Lecz czyż nie łatwiej porwać by było chłopaka z ulicy? Wieńczysław Nieszczególny jest zbyt mądry, by komplikować sobie sprawę takimi domowymi odwiedzinami. Marek to nie niemowlę, które można wziąć na rękęi wynieść przez okno.

– Może miał wspólników na dworze? – powiedział pan Piegus.

– Nie. Przecież pan Surma wracał wtedy z kabaretu i nie zauważył nikogo. Nie zauważył także samochodu, który w takich wypadkach zwykle służy do uprowadzenia ofiary. Trudno sobie wyobrazić, by Wieńczysław Nieszczególny chciał wynieść Marka w worku.

– Cóż więc pan postanawia?

– Nasza sprawa przypomina kłębek splątanych nici. Nie można wszystkich ciągnąć równocześnie, bo zapłacze się je, zaciśnie na amen. Trzeba zacząć od jednej. Ja zaczynam od Wieńczysława Nieszczególnego. Należy wpaść na jego trop, a potem go śledzić. Być może, w ten sposób dojdziemy pomału do miejsca, gdzie jest ukryty Marek.

– Lecz jak odnaleźć tego Wieńczysława? – zapytał pan Surma.

– To nie jest takie trudne... to nie jest takie trudne... Pan przecież go doskonale zna, panie Anatolu.

– Ja?!

– Wieńczysław Nieszczególny od lat spędza wieczory w kabarecie „Arizona".

– W moim kabarecie? – wykrzyknął pan Surma. – To niemożliwe! O ile pamiętam, Marek opisywał Wieńczysława Nieszczególnego jako wysokiego, chudego człowieka o końskiej twarzy. Nie znam nikogo takiego.

– Jak to, a pan Remigiusz Kurzyłło? – uśmiechnął się Hippollit Kwass, gładząc sobie łysinę.

– Pan Remigiusz Kurzyłło, ależ to śmieszne! Pan Remigiusz Kurzyłło to bardzo porządny człowiek. Gram z nim codziennie w szachy.

– Gra pan z Wieńczysławem Nieszczególnym – powiedział zimno detektyw.

– Ależ... pan Remigiusz Kurzyłło ma wielką, czarną brodę!

– Zgadza się. Jest to broda sztuczna. Wieńczysław Nieszczególny maskuje nią końskie rysy swojego oblicza, gdyż jak wiadomo, nikt nie powie o człowieku z brodą, że ma końską twarz. Wieńczysław Nieszczególny zdejmuje brodę tylko wtedy, gdy przystępuje do akcji.

– To straszne – wykrztusił pan Surma – to straszne... Remigiusz Kurzyłło – włamywacz!

– To nam wyjaśnia, dlaczego Wieńczysław Nieszczególny uciekł z domu państwa, kiedy drzwi do pokoju otworzył mu pan Surma. Po prostu przestraszył się, że pan Anatol go pozna. A ponieważ nie mógł zażyć waleriany, załamał się nerwowo i uciekł.

– To bardzo ciekawe, co pan opowiada, maestro! – zawołał podniecony pan Cedur. – Idę z panem dzisiaj do „Arizony".

– Czy mógłby pan i mnie zabrać, panie Hippollicie? – zapytał Alek. – Może się na coś przydam.

Hippollit Kwass przyjrzał się muskułom młodego człowieka.

– Dobrze – powiedział – pan pójdzie z nami. Spotkamy się o ósmej w „Arizonie".

– Alek, co za pomysł! – przeraził się pan Piegus. – Nie wtrącaj się do tego! Spotkanie z przestępcą to niebezpieczne.

– Ależ, wuju!

– Panie Hippollicie, ja zabraniam stanowczo.

– Niechże pan się nie obawia, panie Tymoteuszu – odrzekł z uśmiechem Hippollit Kwass – to tylko mały rekonesans, czyli zwiady. Nie grozi żadne niebezpieczeństwo. Zresztą Wieńczysław Nieszczególny pogardza tak wulgarnym narzędziem przestępstwa jak broń palna. Wieńczysław Nieszczególny stosuje, że tak powiem, pojedynek intelektualny.

– No dobrze – udobruchał się pan Piegus – ale pamiętaj, Alku, o dziesiątej masz być z powrotem.

– O jedenastej, wuju.

– Dobrze, najpóźniej o jedenastej – zgodził się pan Piegus, widząc błagalne spojrzenia Alka. – Niech pan uważa na niego, panie Hippollicie.

Hippollit Kwass pożegnał się i wyszedł. Kiedy był już na rogu, dopadł do niego zadyszany Alek.

– Panie Hippollicie!

– Co się stało?

– Chciałem pana zapytać... – Alek nagle zmieszał się i spuścił głowę.

– O co, młodzieńcze, chciałeś mnie zapytać – pan Hippollit Kwass spojrzał na niego bystro – czy przypadkiem nie o manipulacje wytrychowe przy drzwiach wejściowych?

– Skąd pan wie? – wyszeptał czerwony jak rak Alek. Ale Hippollit Kwass roześmiał się tylko krótko.

– Rozumiem teraz pana „przetrenowanie", młodzieńcze, na które pan narzekał, oraz wybitne obniżenie pańskich wyników sportowych – wyjął z kieszeni gazetę – pan przegrał ostatnie spotkania.

– Błagam pana, niech pan nie mówi wujence Piegusowej, ja już nigdy... – bełkotał Alek – pan rozumie... wujenka nie dawała mi kluczy i kazała cały wieczór być w domu...

– A pan, młodzieńcze, lubił się wyrwać gdzieś wieczorem. Wychodził pan oknem, kiedy już wszyscy spali...

– Pan jest genialny! – wyszeptał Alek.

– Wychodził pan oknem i dlatego okno w waszym pokoju nie było nigdy zamknięte. Ale kiedy nie udało się panu wrócić przed powrotem pana Surmy, który zawsze zamykał okno, to droga była już odcięta i musiał pan wchodzić przez drzwi frontowe, posługując się wytrychem.

– Pan jest genialny! – jęknął Alek.

– Tylko myślący.

– Jak pan to odkrył?

– To nie było trudne.

Detektyw Kwass wyjął z kieszeni bilet kinowy i nocny bilet tramwajowy.

– Znalazłem to w kieszeni pańskiego płaszcza, młodzieńcze. Reszta jests prawą wewnętrznego skupienia, no i rzecz jasna dedukcji.

– Panie Hippollicie, niech mi pan wierzy, ja nie dla rozrywki. Chciałem zarobić na motor i przyjąłem posadę biletera w kinie. W sobotę seanse trwają do północy. Nie chciałem o tym mówić wujostwu, boby mi nie pozwolili naprację w tak późnych godzinach. Ale to tylko do lipca. W lipcu kupuję motor i rzucam wszystko.

– Trzymam cię za słowo, młodzieńcze – rzekł detektyw Kwass.

Rozdział V

Kabaret „Arizona". Alek nie wraca do domu... Na tropie Wieńczysława Nieszczególnego. Stalowa pułapka

Kiedy detektyw Kwass w towarzystwie pana Cedura i Alka weszli o godzinie ósmej do sali „Arizony", kabaret już był pełny, kelnerzy z trudem przeciskali się między ciasno ustawionymi stolikami. Właśnie zaczynał się program artystyczny i pan Surma, przebrany za kowboja, wkroczył z saksofonem na małą scenkę, budząc gorące brawa.

Nasi goście na próżno rozglądali się za wolnym stolikiem. Nagle jak spod ziemi wyrósł przed nimi kelner.

– Pan Hippollit Kwass? – zapytał grzecznie.

– Owszem, to ja.

– Panowie pozwolą, mamy zarezerwowany stolik dla panów na specjalne życzenie pana Anatola Surmy.

Detektyw Kwass obrócił się z wdzięcznością w kierunku estrady. Pan Surma uśmiechnął się i przesłał mu porozumiewawcze mrugnięcie.

Detektyw i jego towarzysze zajęli miejsce przy stoliku pod oknem, zamówili oranżadę i rozglądali się ciekawie. Niestety, nastąpiła przerwa w występach i zaczęły się tańce. Sala zaroiła się od ruchliwych par.

– W takim tłoku trudno będzie kogoś rozpoznać – westchnął Alek.

– Ruszę na zwiady – zaofiarował się pan Cedur.

– Musisz poprosić kogoś do tańca, przyjacielu, bo gdy będziesz się pętał między parami, zwrócisz na siebie uwagę Wieńczysława Nieszczególnego. Jest to niezmiernie czuły opryszek. Najmniejsza nieostrożność z naszej strony i wszystko będzie na nic.

Pan Cedur ruszył więc na poszukiwanie partnerki, a ponieważ wszystkie były zajęte, musiał zadowolić się niewiastą bardzo ciężką, o stukilogramowej chyba wadze. Wrócił cały w potach, słaniając się na nogach.

– O per Bacco!... O per Bacco! Czy ten nieznośny chłopiec Marek doceni kiedyś moje poświęcenie?

– No i co – zapytał niecierpliwie detektyw Kwass – rozpoznał pan Wieńczysława Nieszczególnego?

– Owszem... mój wysiłek nie był daremny, panie Hippollicie, spostrzegłem tańczącego brodacza, którego rysopis zgadza się z tym, co pan nam powiedział o Wieńczysławie Nieszczególnym. Brodacz ten tańczy w drugiej połowie sali i jest bardzo czujny. Widziałem, jak rzucał niespokojne spojrzenia przez ramię swej partnerki.

– To doskonale. Wiemy już, że Wieńczysław Nieszczególny jest na sali – powiedział zadowolony detektyw Kwass. – Teraz tylko nie wolno nam go tracić z oczu.

Muzyka się urwała i goście wrócili do stolików.

– Muszę się dowiedzieć, gdzie on siedzi – powiedział detektyty Kwass.

– Sala jest przepełniona, carissimo[9] mio. Jak pan to zrobi? – zapytał pan Cedur.

---

[9] Najdroższy

– Będę musiał przespacerować się po sali.

– To może być niebezpieczne, sam pan powiedział, że Wieńczysław Nieszczególny ma się na baczności. Zwróci pan na siebie uwagę – rzekł kuzyn Alek.

– Niech pan będzie spokojny, lekkoatleto.

Hippollit Kwass wstał i ruszył z teczką w kierunku toalety. Po chwili wyszedł stamtąd, ale jakże odmieniony. Miał przewieszoną przez rękę ściereczkę jak prawdziwy kelner i trzymał tacę z butelką wina.

Balansując tanecznym krokiem między stolikami, udawał, że obsługuje gości.

– On jest wspaniały! – szepnął z podziwem Alek.

Po paru minutach Hippollit Kwass zjawił się z powrotem przy stoliku naszych przyjaciół.

– Wszystko w porządku – zasapał. – Wieńczysław Nieszczególny siedzi w tamtym kącie pod lustrem, tyłem do sali. Ta pozycja umożliwia mu śledzenie w lustrze całego kabaretu. Nadto zauważyłem jeszcze kilku niebezpiecznych przestępców przy stolikach.

– I co teraz?

– Należy dyskretnie obserwować tamten kąt sali. Pan się tym zajmie, młodzieńcze lekkoatletyczny – zwrócił się do Alka – pan natomiast, kolego Cedur, będzie uważał na drzwi wejściowe. Kiedy Wieńczysław Nieszczególny się ruszy, musimy iść od razu w jego ślady.

Była godzina za pięć dziesiąta, kiedy Alek dał znak.

– Uwaga! Wieńczysław Nieszczególny wstał.

W kilka sekund później wysoki człowiek z brodą skierował się do drzwi wyjściowych.

– To on – szepnął pan Cedur.

– Tak jest. Zapamiętajcie sobie jego wygląd. Może się wam przydać. Rozpoczyna się pierwsza runda, panowie! Wychodzimy.

Detektyw Kwass podniósł się z krzesła.

– Tu obok jest postój taksówek – szepnął do pana Cedura. – Niech pan zanotuje numery wszystkich wozów, wsiądzie do jednego z nich, najlepiej do „warszawy", i czeka.

Detektyw Kwass spojrzał na zegarek, była za trzy dziesiąta.

★

Kiedy o godzinie drugiej w nocy pan Surma jak zwykle wrócił do domu, zdziwił się bardzo, że w oknach pokoju państwa Piegusów jeszcze się świeci. Zdziwił się jeszcze bardziej, kiedy w przedpokoju zastał pana Piegusa i panią Piegusową w szlafrokach.

– Co się stało? – zapytał. – Państwo jeszcze nie śpią?

– Zamiast odpowiedzi pan Piegus złapał go za rękę.

– Panie Anatolu, pan wraca sam?

– Nie rozumiem – pan Surma uniósł brwi do góry.

– A tamci.

– Wyszli już dawno.

– Z „Arizony"?

– Tak, z „Arizony".

– ...Alek?

– Alek wyszedł z nimi.

– Dokąd?

– No, chyba do domu.

Piegusowie spojrzeli po sobie. W ich szeroko otwartych oczach był strach.

– Panie Anatolu – powiedziała zdławionym głosem pani Piegusowa – Alek do tej pory nie wrócił.

– Żartuje pani – zaniepokoił się pan Surma.

– Nie wrócił ani nie dał znać o sobie. Jesteśmy strasznie niespokojni o niego.

– Boimy się, żeby się z nim nie stało to samo co z Markiem.

Na wspomnienie syna pani Piegusowej stanęły łzy w oczach.

– Pan wie, panie Anatolu, że to sierota i zastępujemy mu rodziców – powiedział pan Piegus.

– I kochamy go jak rodzonego syna – szepnęła pani Piegusowa.

– Nie byłbym mu nigdy pozwolił udać się z tym detektywem Kwassem do tej waszej spelunki...

– Przepraszam – pan Surma wyprostował się urażony – kabaret „Arizona" to nie żadna spelunka. To porządny lokal.

– A jednak gromadzą się tam kryminaliści – otarła oczy pani Piegusowa.

– No wie pani... nikt nie ma wypisane na czole, kim jest – zasapał pan Surma. – Elementy przestępcze mogą się wcisnąć wszędzie. Czy państwo wiedzą, że wczoraj wykryto szajkę bandytów w Muzeum Narodowym?

– W Muzeum Narodowym? – wykrzyknęła pani Piegusowa.

– Tak. Mieli tam melinę. Gdyby nie spostrzegawczość pewnego ucznia, długo jeszcze by się tam gnieździli.

– Straszne – pani Piegusowa przyciskała nerwowo ręce do piersi. – Nie można teraz w ogóle wypuszczać dzieci z domu.

– Pan Alek nie jest dzieckiem – zauważył pan Surma. – Ma już dwadzieścia lat.

– Osiemnaście.

– O właśnie osiemnaście – wykrzyknął pan Surma – to stary byk!

– Och, panie Anatolu. Osiemnastoletnie dzieci są najgłupsze. Najbardziej nierozważne, najbardziej lekkomyślne. Jak mogłeś, Tymoteuszu – zwróciła się z wyrzutem do męża – jak mogłeś, Tymoteuszu, dopuścić, żeby ten straszny człowiek zabrał go z sobą do tej „Arizony" na spotkanie oko w oko ze złoczyńcą.

– Mówię właśnie – zagrzmiał pan Piegus – że nigdy bym mu nie pozwolił, gdyby detektyw Kwass nie obiecał, że najpóźniej o jedenastej odstawi go do domu.

– Coś się musiało stać – szeptała przerażona pani Piegusowa – musiało się stać coś strasznego.

– Niechże się pani nie martwi na zapas – próbował ją uspokoić pan Surma – detektyw Kwass jest doświadczonym lisem.

– To czemu on nie wrócił?

– Może... może wpadli na trop i ścigają przestępców.

– Ścigają przestępców, o Boże, co pan opowiada!

– Niech pani będzie dobrej myśli. Może lada chwila wrócą z Markiem.

Długo jeszcze pan Surma uspokajał znękanych Piegusów, zanim wreszcie udali się na spoczynek. Ale i tej nocy prawie nie zmrużyli oka.

★

Zobaczymy teraz, co się stało z detektywem Kwassem i jego przyjaciółmi. Jak pamiętacie, była godzina za trzy dziesiąta, kiedy detektyw Kwass i Alek wyszli z sali kabaretu, tropiąc Wieńczysława Nieszczególnego. Zauważyli, że Wieńczysław Nieszczególny jest w szatni. Hippollit Kwass dał znak Alkowi i obaj ukryli się za wielką dekoracją z dykty przedstawiającą kowboja na mustangu. Między kaktusem, przez który skakał koń, a przednimi kopytami konia znajdowały się dziury. Można było przez nie obserwować, co się dzieje w szatni. Hippollit Kwass i Alek przywarli do otworów i nie spuszczali oczu z Wieńczysława Nieszczególnego. Przestępca odebrał z szatni płaszcz i laseczkę, zakręcił się na jednej nodze i ku zdziwieniu Alka zamiast skierować się do wyjścia ruszył w przeciwną stronę korytarza, gdzie znajdowały się toalety, garderoby i pomieszczenia gospodarcze kabaretu. Tutaj obejrzał się ostrożnie dookoła, wyjął z kieszeni klucz i odemknął drzwi z wielkim napisem „Garderoby aktorskie – obcym wstęp wzbroniony". Jeszcze raz obejrzał się niespokojnie za siebie, wyciągnął z kieszeni flaszeczkę, łyknął z niej raz i drugi, po czym bezszelestnie i szybko jak kot zniknął za drzwiami.

Hippollit Kwass skinął na Alka i wyskoczył zza dekoracji. Nim jednak dopadli drzwi, rozległ się zgrzyt klucza w zamku i tylko mdły zapach waleriany świadczył, że Wieńczysław Nieszczególny przechodził tamtędy.

– Niedobrze – powiedział Hippollit Kwass. – Nie podoba mi się to wszystko. Wygląda na to, że Wieńczysław Nieszczególny planuje jakąś brudną robotę w garderobie albo...

– Albo co? – szepnął przejęty Alek.

– Albo że coś zwęszył.

– I co pan teraz zrobi?

Hippollit Kwass uśmiechnął się tajemniczo.

– Jestem na takie rzeczy przygotowany, mój chłopcze... – to mówiąc, wyciągnął z kieszeni pęk instrumentów. – A teraz szybko do dzieła. Mam dla ciebie zadanie, młodzieńcze. Wyjdziesz szybko na ulicę. Dziesięć kroków w lewo będzie brama. Tą bramą dostaniesz się na podwórze. Trzecie okno w suterenie będzie oknem od garderoby. Uważaj na to okno. Bardzo możliwe, że Wieńczysław Nieszczególny spróbuje wydostać się tamtędy. W tym wypadku, młodzieńcze, ruszysz za nim tropem. Z tego podwórza jest tylko jedno wyjście – przez bramę na ulicę.

Na ulicy będzie czekać taksówka z panem Cedurem. Pan Cedur będzie miał zanotowane numery wszystkich pozostałych taksówek na postoju. W jedną z nich wsiądzie Wieńczysław Nieszczególny. On posługuje się zawsze taksówkami. Zapamiętasz, w którą wsiadł, i zaczekasz na mnie. O ile jeszcze nie będę wtedy na ulicy, bo postaram się być tam przed tobą, młodzieńcze. Twoje działanie ma tylko znaczenie ubezpieczające. Ubezpieczające. Postaram się ruszyć natychmiast w pościg, a ty, niestety, będziesz musiał wrócić do domu, lekkoatleto, obiecałem państwu

Piegusom, że cię odstawię przed jedenastą. W każdym razie pamiętaj: Nie wolno wam beze mnie rozpoczynać pościgu za taksówką Wieńczysława Nieszczególnego. Macie tylko zaobserwować numer i kierunek jazdy i czekać... i czekać... gdyby mnie jeszcze nie było. Ale ja na pewno będę. Na pewno będę, młodzieńcze. Zrozumiałeś?

– Tak jest.

– Więc ruszaj na posterunek.

Kiedy Alek wyszedł, Hippollit Kwass przyłożył ucho do drzwi garderoby i nadsłuchiwał przez chwilę. Potem szybko zaczął manipulować kluczami w zamku. Nagle zgasło światło. Nim zdążył się obejrzeć, na głowę spadła mu jakaś płachta i cios w tył głowy zwalił go na ziemię. Poczuł, że ogarnia go ciemność.

Alek wyszedł ostrożnie na podwórze i stanąwszy za rachitycznym drzewem przy śmietniku obserwował ciemne okna garderoby. Nagle serce mu zabiło. Przywarł całym ciałem do pnia. Okno w suterenie otworzyło się i wyskoczył z niego Wieńczysław Nieszczególny. Rozejrzał się po podwórzu i widać zupełnie pewny bezpieczeństwa ruszył spokojnym krokiem do bramy na ulicę. Alek posuwał się za nim.

Przy bramie zaczekał. Na postoju taksówek przy „Arizonie" stały tylko trzy wozy. W jednym z nich dostrzegł pana Cedura. Wieńczysław Nieszczególny podbiegł do ostatniej taksówki. Wsiadł i taksówka ruszyła. Lecz jaki miała numer? Jaki numer? Alek na próżno wpatrywał się w tabliczkę w tyle wozu. Była tak słabo oświetlona, że nie mógł odcyfrować żadnego numeru.

Podbiegł do pana Cedura.

– Niech pan wsiada – syknął pan Cedur.

– A detektyw Kwass?

– Nie wyszedł do tej pory.

Alek zawahał się. Taksówka z Wieńczysławem Nieszczególnym oddalała się bardzo szybko.

– Niechże pan wsiada! – krzyknął pan Cedur. – Każda chwila droga!

Alek wskoczył. Wóz ruszył natychmiast.

– Za tamtą taksówką! – krzyknął do kierowcy pan Cedur.

– Pan Hippollit kazał mi czekać – rzekł zdławionym głosem Alek.

– Niechże pan nie będzie dzieckiem, bambino mio. Pan Hippollit Kwass nie chciał za pana brać odpowiedzialności wobec państwa Piegusów, ale pan jest wystarczająco dojrzały, żeby rozporządzać swoją osobą. Nie boi się pan chyba!

– Nie.

– Pokażemy detektywowi, że stać nas na samodzielną decyzję. Najważniejszy zresztą jest pościg. Gdybyśmy nie pojechali teraz za Wieńczysławem Nieszczególnym, nici tropienia znów zostałyby zerwane. Niech pan pomyśli o biednym Marku. On czeka na naszą pomoc, povero[10] bambino mio.

Taksówka skręciła na trasę W-Z. Wkrótce wjechali na most Śląski. Przed nimi tłukła się taksówka Wieńczysława Nieszczególnego. Był to stary i tak rozklekotany „opel kapitan", że nawet wołowata „warszawa", którą jechali nasi przyjaciele z łatwością dotrzymywała mu kroku.

---

[10] Biedny

Wkrótce „opel" skręcił w lewo, w Stalingradzką. Potem jeszcze w jedną źle oświetloną ulicę na lewo. Tam przystanął, a Wieńczysław Nieszczególny wyskoczył.

Pan Cedur zatrzymał „warszawę" i, wskazując na znikającą sylwetkę Wieńczysława Nieszczególnego, powiedział do Alka:

– Niech pan nie traci go z oczu. Ja zaraz ruszam za panem, tylko ureguluję rachunek.

Alek ruszył pośpiesznym krokiem. Wieńczysław Nieszczególny, nie oglądając się, szedł szybko pustą, zadrzewioną ulicą, nagle skręcił w furtkę do parku. Poruszali się teraz w zupełnej niemal ciemności między starymi drzewami.

– O mało co, a byłbym was zgubił. – Alek usłyszał zadyszany głos pana Cedura za sobą. – Dokąd on idzie? – szepnął.

– Ma tu gdzieś pewnie melinę – odparł cicho Alek.

– Nakryjemy ptaszka w jego własnym gnieździe – zasapał pan Cedur.

Tymczasem Wieńczysław Nieszczególny zboczył z alejki i zaczął przedzierać się przez zarośla, świecąc sobie małą latarką. Gdyby nie ta latarka, zapewne straciliby go z oczu. Lecz kierując się światełkiem migającym wśród zarośli utrzymywali stale bliski dystans.

Nagle wyrosło przed nimi ogrodzenie z metalowej siatki. Światełko błyskało już po drugiej stronie.

– Jak on przeszedł? – syknął pan Cedur.

– Tu musi być jakaś dziura w ogrodzeniu – mruknął cicho Alek. – Poszukajmy.

Schylony macał w ciemności dolną część siatki, przesuwając się wzdłuż ogrodzenia.

– Jest – szepnął gorączkowo po chwili. – Tędy, panie Cedur.

Przeszli pod siatką, brudząc ręce w rozmiękłej, wilgotnej ziemi. Światełko migało słabo w odległości jakichś dwudziestu metrów. Ogarnęła ich zupełna ciemność. Nie było ani gwiazd, ani księżyca. Z daleka słychać było ponury huk grzmotu. Zerwał się duszny wiatr.

– Będzie burza – szepnął Alek.

Szli na oślep za majaczącym światłem, chłodne gałęzie drzew czy krzaków muskały ich po twarzy. Wieńczysław Nieszczególny też musiał odczuwać trudności w poruszaniu się, bo zwolnił kroku. Zdawało im się, że światło latarki znajduje się od nich nie dalej niż pięć metrów. Szum drzew potężniejący coraz bardziej głuszył odgłos kroków.

Nagle Alek uderzył głową o coś twardego. Namacał ręką żelazny pręt.

– Jakieś ogrodzenie – szepnął, ściskając sobie z bólu głowę.

– Bardziej na lewo, niech pan idzie bardziej na lewo – pociągnął go pan Cedur – tutaj jest przejście.

Szli jeszcze kilkanaście sekund wzdłuż jakiegoś parkanu z żelaznych prętów, potem rozległ się dziwny metaliczny brzęk, skrzypnęło żelazo i światełko zgasło.

Zatrzymali się na moment zaniepokojeni, lecz dookoła panowała cisza. Tylko gdzieś wysoko szumiały drzewa, a od strony Wisły dochodziły jakieś głuche pomruki.

– Dalej, na co pan czeka? – szepnął Cedur do Alka.

– Nic nie widzę – rzekł Alek nieswoim głosem.

– Idziemy prosto.

Lecz kiedy zrobili trzy dalsze kroki, wyrosła przed nimi żelazna krata.

– Zagrodzone – mruknął zdziwiony Alek.

Jak ślepcy zaczęli macać żelazne pręty, ale gdziekolwiek sięgnęli ręką, tam natrafiali na kratę.

– Zdaje się... – wykrztusił pan Cedur – zdaje się, że jesteśmy w klatce, bambino mio.

– Niemożliwe, przecież on musiał tędy przejść – jęknął Alek – wyraźnie widziałem światełko.

Jakby w odpowiedzi światełko błysnęło znowu, oświetlając na moment żelazne pręty, które z trzech stron zamykały naszym detektywom drogę. Z jednej strony widać było żelazne drzwiczki z wielkim solidnym zamkiem. Rzucili się do nich błyskawicznie, ale drzwi były zamknięte na klucz, a do tego na potężną zasuwę, którą otworzyć można było tylko z drugiej strony. Spojrzeli po sobie zlani zimnym potem. W tej samej chwili rozległ się ohydny śmiech. Światło zgasło. Tylko ten śmiech szyderczy dźwięczał jeszcze w powietrzu, oddalając się coraz bardziej. Potem wszystko ucichło.

– Nic nie rozumiem – jęknął Alek.

– Nie rozumie pan? Łobuz się wymknął i zatrzasnął nam drzwi przed nosem.

– Musiał zauważyć, że go śledzimy, i wyprowadził nas w pole.

– A raczej w ogród. Znajdujemy się w jakimś ogrodzie, o ile się nie mylę.

– Nie ma rady, wycofujemy się, panie Alku.

Dotykając wyciągniętymi rękoma żelaznych prętów, cofali się pośpiesznie. Lecz nagle wolna przestrzeń skończyła się. Krata skręcała jakby pod kątem prostym.

– Nie rozumiem – wybełkotał Alek – niech no pan poświeci zapałką.

– Nie wiem, czy jeszcze mam – szepnął pan Cedur zdaje się, że wszystkiewypaliłem w taksówce.

Przez chwilę grzebał nerwowo po kieszeniach.

– Zostały tylko trzy.

– Niech pan zapali jedną. Musimy się zorientować w położeniu.

Pan Cedur potarł zapałkę o pudełko. Jasny płomyk rozświetlił ciemność. Obaj mężczyźni rozglądali się dokoła oczyma wytrzeszczonymi ze strachu.

– Wszędzie kraty – wykrztusił Alek.

– Łobuz zamknął nas w klatce.

– To nie jest klatka.

– Jak to nie? Te pręty?

– To jest rodzaj korytarza, długiego korytarza ze stalowych prętów, jaki stosuje się przy wybiegach dla dzikich zwierząt.

– Taki tunel z żelaznej kraty z dwoma drzwiczkami.

– Tak jest.

– Boże... to chyba nie znaczy, że...

– Niestety, amico mio[11], boję się, że to właśnie znaczy...

– Jesteśmy w ogrodzie zoologicznym.

---

[11] Przyjacielu

– Nie inaczej. Jesteśmy w ogrodzie zoologicznym uwięzieni w stalowej klatce. Łobuz złapał nas w pułapkę jak szczury.

Chwilę milczeli przerażeni.

– To niemożliwe – krzyknął Alek – nie... to przecież nie może być!...

I jak szalony rzucił się naprzód. Chwilę później dało się słyszeć ciężkie uderzenie i jęk.

– Zwariował pan, bambino mio. – Pan Cedur pośpieszył Alkowi z pomocą.

Po chwili namacał jego ciało przy kracie.

– Głową pan kraty nie przebije.

Alek jęczał cicho.

– Zachowuje się pan jak dziecko – powiedział pan Cedur. – Musimy zdobyć się na cierpliwość.

– Nie... nie... to niemożliwe... błagam pana, niech pan maca kraty – jęczał Alek – stąd musi być jakieś wyjście.

Pan Cedur przygryzł wargi i świecąc dwoma pozostałymi zapałkami obszedł dookoła więzienie.

Nie było nigdzie wyjścia. Znajdowali się w długiej na dwadzieścia kroków, a szerokiej na trzy kroki klatce zamkniętej z dwu stron drzwiczkami z żelaznych prętów. Wszelkie próby otwarcia zawiodły. Pan Cedur wrócił posępny do siedzącego z rozbitą głową Alka.

– No i co? – Niema wyjścia.

– Co teraz będzie?

– Nic, czeka nas noc w ogrodzie zoologicznym i spanie na żelaznych prętach. To wszystko. Rano przyjdą dozorcy i wypuszczą nas.

– Rano? Pan żartuje. Całą noc tutaj?

– Nie widzę innej rady. Teraz tu nikogo nie ma. Kto nas wypuści? No nic, jakoś przebiedujemy, wszystko będzie dobrze, żeby tylko deszcz nas nie zmoczył. Niebo zasnute jest chmurami i te grzmoty... O, słyszy pan, znów grzmi.

Istotnie słychać było gdzieś daleko złowieszczy pomruk. Alek zaśmiał się nerwowo.

– Panie Alku, co pan... – uspokajał go pan Cedur.

– Grzmi... grzmi... – bełkotał Alek.

Nagle przestał się śmiać.

– To nie jest żaden grzmot. Czy pan nie rozumie jeszcze. To jest ryk lwów. Tak, proszę pana, ryki i pomruki lwów. Muszą tu być niedaleko... Słyszy pan?

Pan Cedur słuchał struchlały. Alek miał rację. To były lwy.

Rozdział VI

Klatki śmierci. W oczekiwaniu na apetyt lwów. Wiatr się zmienia. Bohaterskie natarcie pana Cedura, czyli rozpylacz w akcji. Noście przy sobie zawsze wodę kwiatową „Siedem czarów" ze spółdzielni pracy „Przodownik". Chłopcy z lustrami

Mimo że przepowiadanej burzy nie było, to jednak około godziny dwunastej zerwał się gwałtowny wiatr, a potem spadł chłodny, ulewny deszcz. Z pobliskich klatek zaczęły dobiegać odgłosy zwierząt. Szakale wyły, lwy ryczały, hiena śmiała się złowieszczo, krzyczało jakieś ptactwo.

– Przemokniemy do suchej nitki – powiedział pan Cedur.

– Ja już dygocę z zimna, a co będzie do rana – zachrypiał Alek. – Nie możemy tu pozostać... Musimy alarmować, krzyczeć... Ktoś nas w końcu musi usłyszeć.

I nie czekając na odpowiedź, zaczął rozpaczliwie wołać:

– Ratunku! Na pomoc! Ratunku!

Potem przestał i nasłuchiwał. Słychać było szum deszczu, jazgot zwierząt... Ani jednego głosu ludzkiego.

Z kolei pan Cedur spróbował siły swojego gardła. Ale też bez wyników. Krzyczeli tak z krótkimi przerwami przez całe dwie godziny, przemoknięci i przemarznięci na kość. Wreszcie zachrypli zupełnie. Opuściły ich siły. Stracili resztę nadziei, że przed ranem ktoś ich wyzwoli. Zgiełk podnieconych zwierząt głuszył wszystkie ich wołania.

– Nie bardzo nadajesz się na detektywa, bambino mio – jęknął pan Cedur.

– To samo można powiedzieć o panu – warknął Alek.

– Nigdy nie miałem ambicji detektywistycznych. Jestem artystą – powiedział pan Cedur z resztką dumy w głosie.

– A jednak to był pana pomysł, to pan mnie wpakował do taksówki...

– Liczyłem na twoje sportowe zdolności, bambino mio.

– Niech się pan już nie wygłupia... Niech pan lepiej krzyczy, pan nie ma takiej chrypy jak ja.

– Ja nie mam chrypy? – Pan Cedur zachrypiał straszliwie, wydobywając z gardła dźwięki podobne do charkotu zarzynanego koguta. – Jedyne, co mogę zrobić, to grać.

Wyciągnął z zanadrza flet i zagrał żałośnie i cienko.

★

Ranek zastał ich ledwie żywych. Wyczerpani i zziębnięci wydawali już tylko słabe pomruki, czepiając się omdlewającymi rękami krat. W uszach mieli szum. Przed oczyma latały im czarne i białe płaty.

Nie zauważyli nawet, że zjawił się zaspany dozorca i nie rozglądając się, nieopatrznie otworzył drzwiczki.

Dopiero groźny ryk zbliżających się zwierząt dotarł do świadomości uwięzionych mężczyzn. Podnieśli głowy i ujrzeli, że z przystawionej do korytarza żelaznej klatki wybiegają lwy. Przerażeni zaczęli czepiać się krat i chrypiąc rozpaczliwie, wzywać pomocy. Ale z ich ust nie wydobywały się już słyszalne dźwięki. Nim się służba ZOO zorientowała, lwy wtargnęły do klatki, odcinając nieszczęśliwcom drogę. Otworzono natychmiast drzwiczki z drugiej strony, ale ledwie osłabieni mężczyźni zdołali się dźwignąć na nogi, lwy rzuciły się do nich. Nastąpiło pięć sekund straszliwego napięcia.

Dozorcy zastygli z przerażenia, nie ma już dla nieszczęśliwców ratunku. Na szczęście lwy były świeżo po śniadaniu i zaczęły obojętnie przeskakiwać leżących, pędząc do wybiegu. Zdawało się, że wszystkie miną ich spokojnie. Lecz oto czwarty, stary lew Mambo, zwietrzył zapach ludzkiego ciała i zatrzymał się tuż przy wejściu jakby się namyślając, jak ma postąpić wobec takiego nieoczekiwanego mięsa w klatce.

Wreszcie wydał słaby pomruk i potrząsnął grzywą. Na ten głos odwróciła się lwica Brygida, która już była po drugiej stronie korytarza, i zaczęła węszyć.

– Boże... to już po nas – szepnął Alek.

– Udawajmy padlinę – syknął pan Cedur przypłaszczony do ziemi.

Przypomniało mu się, że gdzieś kiedyś czytał o jednym podróżniku, który napotkawszy niedźwiedzia, udał trupa i niedźwiedź obwąchawszy, zostawił go w spokoju i poszedł dalej.

Przywarli więc obaj możliwie płasko do ziemi i wstrzymali oddech. Pan Cedur liczył sekundy i myślał, że musi wyglądać bardzo nieestetycznie, brudny i wymięty, a w dodatku rozpłaszczony na ziemi jak żaba. Czyż w takiej pozie będzie musiał umrzeć najelegantszy spośród muzyków w Warszawie? Zrobiło mu się smutno i gorzko na duszy. Zawsze wyobrażał sobie, że umrze na deskach sceny operowej wśród blasku świateł, rzucanych kwiatów i entuzjastycznych okrzyków publiczności. Umrze, grając rolę Orlando Furioso[12]. Nagle zauważył, że Alek otwiera sprężynowy nóż.

– Co pan robi? – syknął.

– Będę się bronił nożem jak Tarzan – powiedział sportowiec – jak kurier carski, który zadźgał niedźwiedzia. Drogo sprzedam moje życie.

– Dziękuję ci, giovinezza[13] mia. Sprzedasz swoje życie, a przy sposobności moje. Dziękuję ci za dobre chęci, ale nie mam zamiaru oddać ci mojej duszy w komis. Jesteś zbyt nędznym kupcem, mój drogi. A teraz proszę cię, łaskawie, schowaj ten scyzoryk.

– Widzę, że pan nagle odzyskał humor.

– Zawsze w najtrudniejszych chwilach mojego życia byłem wesoły, amico mio. To praktykowali także niektórzy wisielcy, stąd powiedzenie – wisielczy humor. Myślę, że perspektywa rozkosznej śmierci w pazurach tych płowych kotków tym bardziej może napełnić człowieka wesołością.

---

[12] Orlanda Szalonego

[13] Młodości

★

Wiadomość, że w ogrodzie zoologicznym w klatce z lwami uwięzionych jest dwóch młodych ludzi, już się przedostała na miasto i zewsząd śpieszyły tłumy podnieconych sensacją gapiów oglądać mrożące krew w żyłach widowisko.

Biegiem od strony mostu Śląskiego wpadły dwie wycieczki: chłopów z Biłgoraja i urzędników z Nowego Sącza. Zjawili się także strażacy z motopompą i chcieli odpędzić lwy wodą, lecz dyrektor zoo stanowczo sprzeciwił się, w obawie, by ten zabieg nie rozdrażnił zwierząt. Na końcu zjawiła się milicja.

Tylko państwo Piegusowie zmożeni wieloma bezsennymi nocami spali pogrążeni w głębokim śnie i o niczym nie wiedzieli. Spali długo, bo tego dnia była niedziela i pan Piegus nie szedł do pracy. I to było ich szczęście. Gdyby bowiem jak zwykle o tej porze nastawili radio, usłyszeliby nadawany raz po raz komunikat radiowy.

Uwaga! Uwaga!

Dzisiaj o godzinie szóstej rano zdarzył się tragiczny wypadek w ZOO. W czasie wpuszczania lwów na wybieg zauważono w korytarzu łączącym dwu na pół przytomnych osobników. Podejrzewa się, że są to osobnicy pijani, którzy jakimś sposobem przeniknęli do klatki. Jedynie faktowi, że lwy były świeżo po posiłku należy przypisać pomyślną okoliczność, iż obaj nieszczęśliwcy nie zostali natychmiast pożarci.

Lwy jednakże odmówiły przejścia do wybiegu i... czuwają nad swymi ofiarami. Zachodzi obawa, że gdy strawią pierwsze śniadanie i poczują głód, rzucą się natychmiast na obu mężczyzn.

Wszelkie próby wywabienia lwów z korytarza łączącego zawiodły. Wezwana milicja chciała natychmiast zastrzelić zwierzęta, spotkało się to jednak ze stanowczym protestem wybitnych zoologów i znawców lwów, którzy stwierdzili, że postrzelone lwy staną się jeszcze bardziej niebezpieczne i mogą w przedśmiertnym chwycie rozszarpać swoje ofiary.

Milicja otrzymała więc rozkaz strzelania tylko w ostatecznym razie, to znaczy w wypadku, gdyby lwy same ruszyły do ataku.

Uwaga! Uwaga! Poszukuje się tresera, który poskromiłby lwy, wyprowadził je z klatki i ocalił uwięzionych przez nie ludzi. Wysoka nagroda.

Uwaga! Uwaga! Poszukuje się tresera.

Była już godzina ósma, a sytuacja w klatce się nie zmieniła. Pośrodku leżeli rozpłaszczeni Alek i pan Cedur, a przy wylotach z obu stron siedziały lwy, oblizując się i drapiąc. W oczekiwaniu na przypływ apetytu dokonywały porannej toalety.

– Jak pan myśli – szepnął Alek – dlaczego nas jeszcze nie zjadły?

– Myślę, myślę, amico mio, że to z powodu pcheł – jęknął pan Cedur.

– Z powodu pcheł?

– Na razie zajęte są łapaniem pcheł, nas, ludzi, chowają na potem. A może także...

– Może co?

– Może także z powodu wiatru.

– Wiatru?

– Wiatr wieje teraz z zachodu na wschód, a lwy siedzą na osi północ-południe, więc nie czują. Nasz zapach nie nęci jeszcze, że tak powiem, ich podniebień.

– A... a jeśli wiatr się zmieni? – jęknął Alek.

– Wtedy zaczniemy łaskotać podniebienia tych kotków.

Leżeli kilka minut w milczeniu.

– Zdaje się, że wiatr się zmienia – wykrztusił nagle Alek.

Istotnie pan Cedur poczuł, że o ile dotychczas dmuchało mu w czoło, to teraz zaczyna dmuchać w ucho. Jednocześnie lwica Brygida przestała się drapać i wyciągnąwszy pysk, zaczęła węszyć chciwie. Zapach ludzkiego ciała drażnił jej nozdrza.

I wtedy stało się to, czego się obawiano. Lwica wydała groźny pomruk i leniwie wstała.

– Idzie do nas – jęknął Alek.

Na sygnał dany przez towarzyszkę również lew Mambo zaczął się zbliżać. W śmiertelnej ciszy słychać było tylko złowróżbne pomruki zwierząt. Ludzie zamarli z przerażenia.

– Idą do nas – szepnął Alek, ściskając kurczowo scyzoryk – poczuły nasz zapach... teraz już koniec... poczuły nasz zapach.

– Zapach – powtórzył pan Cedur i nagle twarz mu się zmieniła. Zerwał się na kolana i zaczął gwałtownie szperać po kieszeniach.

– Co pan robi? – syknął spocony ze strachu Alek. – Niech pan się nie rusza, niech pan się położy.

Ale pan Cedur nie słuchał go, tylko, powtarzając zbielałymi ustami: „zapach", wyciągnął z kieszeni mały rozpylacz do wody kwiatowej, który zawsze nosił przy sobie. Wszyscy spojrzeli na niego ze zdziwieniem, a on ściskając drżącą ręką gumową gruszkę, zaczął rozpylać to w jedną stronę, to w drugą stronę pachnącą wodę ze Spółdzielni Pracy „Przodownik" na Woli. Przez tłum przebiegło drżenie.

– Oszalał! – podniosły się głosy.

– Oszalał ze zgrozy!

– Tymczasem spocony jak mysz pan Cedur rozpylał wytrwale, jakby trzymał w ręku nie flakon wody kwiatowej, ale pistolet maszynowy.

I oto nastąpiła rzecz niesłychana.

Lwy zawahały się, wydały groźny pomruk i cofnęły ze wstrętem.

– Brawo! – z tysiąca piersi wydarł się entuzjastyczny okrzyk.

– Na jak długo panu starczy? – szepnął podniecony Alek.

– Już zaraz koniec – zadyszał muzyk.

★

Głośniki radiowe podawały bez przerwy komunikaty.

Uwaga! uwaga! podajemy ostatnie wiadomości z Z00. Lwy przypuściły atak! Lwy przypuściły atak! I oto niezwykła sensacja. Atak został odparty. Atak został odparty przez jednego z uwięzionych mężczyzn, w którym rozpoznano obywatela Cezarego Cedura, znanego muzyka i najbardziej eleganckiego człowieka Warszawy.

Uwaga! uwaga! Największa sensacja dnia. Atak został odparty za pomocą rozpylacza z wodą kwiatową spółdzielni pracy „Przodownik".

Noście przy sobie zawsze wodę kwiatową „Siedem czarów" wyrobu spółdzielni pracy „Przodownlk".

Uwaga! uwaga! podajemy ostatnie wiadomości z Z00. Woda kwiatowa spółdzielni pracy „Przodownik" znajdująca się w rozpylaczu pana Cedura jest na wyczerpaniu. Natężenie rozpylacza wybitnie się zmniejszyło. Wzywa się tresera zwierząt! Wzywa się tresera zwierząt!

Uwaga! uwaga! wiadomość z ostatniej chwili. Rozpylacz pana Cedura przestał działać...

Wśród zebranego dookoła klatki tłumu wybuchła panika. Kilka kobiet nie wytrzymało napięcia i zemdlało. Mężczyźni zasłonili oczy. Milicjanci gotowali się do rozpaczliwych strzałów.

A lwy z groźnym pomrukiem przybliżały się z dwu stron do leżących w klatce ludzi.

Nagle przez tłum zaczął się przedzierać zadyszany, rosły chłopak lat może około piętnastu, z włosami przyciętymi najeża, a może raczej na szczotkę ryżową, silnie zbudowany, o kanciastych rysach, w krótkich spodenkach harcerskich i czarnej koszuli. Za nim szedł drugi, tyczkowaty, w mundurze harcerskim, ale bez dystynkcji.

– Pirydion – zwrócił się ten w czarnej koszuli do towarzysza – ty weźmiesz tego z lewej.

– Tak jest, szefie! – powiedział tyczkowaty, zwany Pirydionem.

– Szybko! Rany boskie! – krzyknął chłopak w czarnej koszuli, zauważywszy, że lwy już podchodzą. – Przepuścić, przepuścić! – zaczął wołać mocnym głosem.

Ludzie cofnęli się. Dopiero teraz zauważyli, że każdy z chłopców niesie jakiś wielki, płaski pakunek prostokątnego kształtu.

Dopadłszy do klatki, chłopcy zdarli opakowanie, wyciągnęli wielkie lustra i pokazali je rozdrażnionym zwierzętom.

– Co to ma znaczyć? Odsunąć się od klatki! – krzyknęli milicjanci.

Ale nagle sami zastygli w zdumieniu.

Oto bowiem lwy zatrzymały się w miejscu. A potem, wydając dziwne pomruki, zbliżyły się ciekawie do prętów. Wtedy obaj chłopcy posunęli się o krok w kierunku wylotów klatki. I o dziwo! Lwy postąpiły za nimi. Chłopcy, wciąż pokazując lwom lustra, zrobili dalszy krok. Lwy jakby zahipnotyzowane szły za nimi.

Wreszcie wyprowadzili je aż do wylotów.

– Zamknąć klatkę! – krzyknął chłopak w czarnej koszuli do osłupiałych dozorców. – Na miłość boską, natychmiast zamknąć klatkę z obu stron!

Dozorcy rzucili się do klatki. Po chwili ciężkie drzwi z obu stron były zamknięte. Ludzie w klatce byli bezpieczni.

Tłum wydał głośne – ach! – i odetchnął.

A potem podniosła się burza. Wśród przeraźliwych okrzyków radości, w jakimś dzikim szale tłum runął na chłopców. Potłuczono im lustra... porozrywano ubrania. Każdy chciał ich uściskać, każdy dotknąć. Wreszcie wyrzucono ich w górę. Przez całą godzinę podrzucano ich na rękach, a wylatując raz po raz w powietrze, wędrowali po całym Zoo. Dopiero stanowcza interwencja przerażonych lekarzy, którzy zjawili się w tym czasie, oraz milicji zakończyła te niesamowite sceny. Ale okrzykom wciąż jeszcze nie było końca.

Rozdział VII

Teodor. List od detektywa Kwassa. Co odkrył konik szachowy? Flaszka i placek

W podobnym niebezpieczeństwie znaleźli się obaj uratowani delikwenci, pan Cezary Cedur i Alek.

Tłum momentalnie wtargnął do klatki i zachodziła obawa, że uniknąwszy lwich szponów, zginą od łap ludzkich. Każdy chciał ich dotknąć, pomacać, jakby wciąż jeszcze nie dowierzał, że żyją, że ocaleli.

W sprawę musiała wkroczyć milicja. Usunąwszy podniecony tłum tarasujący przejście, wyciągnięto wreszcie z klatki ledwo żywych bohaterów. Byli tak słabi, że milicjanci musieli ich trzymać za ręce. Doskoczył zaraz do nich porucznik Prot z milicji rzecznej i nie zasypiając gruszek w popiele, chciał męczyć ledwie żywe ofiary przesłuchiwaniami.

Przesłuchanie jednak nie mogło dojść do skutku, gdyż obaj mężczyźni byli nieprzytomni. Alek wydawał zachrypłe okrzyki jak Tarzan, a pan Cedur prowadzony pod pachy przez kaprali milicji wyrywał się co chwila, wyciągał flet i chciał grać.

– Co pan robi? – pytano go.

Lecz on bełkotał tylko niedorzecznie.

– Na lwa srogiego wsiądziesz i na żelaznym smoku jeździć będziesz. Posłuchaj, dziecko moje, dźwięku czarodziejskiego fletu – proponował – ech, nie jesteś muzykalny... Christianos ad leones[14]... Nie, nie! – krzyczał przeraźliwie. – Non sum christianus, Orpheus sum[15].

– On jest pijany – podniosły się głosy.

– To zaburzenia nerwowe – powiedział lekarz – a być może nawet maligna, czyli bredzenie gorączkowe.

Nagle rozległ się krzyk przerażonych kobiet. Uciekały, piszcząc głośno, bo pan Cedur wyrwał się kapralom i nastroszywszy się jak lew, gonił je, rycząc. Wkrótce jednak oblał się potem i ledwie dopadli go milicjanci, zwisnął im bezwładnie na ramionach.

Dopiero energiczna akcja lekarzy i porucznika Prota doprowadziła obu mężczyzn do względnej przytomności. Porucznik Prot ponowił próby wysondowania z nieszczęśliwych, w jaki sposób znaleźli się w zamkniętej klatce. Obaj jednak delikwenci odmawiali wszelkich zeznań, gdyż wstyd im było, że dali się wyprowadzić w pole przez Wieńczysława Nieszczególnego.

Porucznik Prot zaczął tracić cierpliwość i zagroził obu bohaterom, że ich zabierze na posterunek pod zarzutem włamania do klatki w celach rabunkowych.

Dopiero wtedy pan Cedur wyjąkał, że chodziło im o naukowe badanie życia zwierząt, a Alek dodał, że piszą scenariusz do sensacyjnego filmu pod tytułem: „Wsiadanie na lwa srogiego”.

– Nie, bambino mio – sprostował pan Cedur – tytuł brzmi – „Ujeżdżanie lwa strasznego”.

---

[14] Chrześcijanie dla lwów

[15] Nie jestem chrześcijaninem, jestem Orfeuszem

– Tak jest, panie poruczniku – sprostował Alek. – „Ujeżdżanie lwa srogiego”... właśnie taki tytuł...

Porucznik Prot poruszał przez chwilę szczęką zaskoczony. W tym samym momencie obaj przyjaciele ujrzeli chłopców z lustrami, a raczej szczątkami luster, wyrywających się z rąk wiwatującego tłumu. Na ten widok wróciły im siły. Dopadli do chłopców i zaczęli ich całować i ściskać.

– Panowie, nie tutaj, bo rozczulicie ludzi i znowu nas nie puszczą – opierał się chłopak o włosach jak ryżowa szczotka.

– Pirydion – dał znak koledze – zrób przedstawienie, a my nawiejemy tymczasem.

Tyczkowaty dryblas, zwany Pirydionem, odbił natychmiast w drugą stronę i wydając różne nieartykułowane okrzyki właściwe ptakom błotnym, zaczął chodzić na rękach między ludźmi, którzy przystawali z osłupieniem.

Korzystając z tego osłupienia „ryżowa szczotka”, pan Cedur oraz Alek wymknęli się z pierścienia tłumu, złapali taksówkę i uciekli na Stare Miasto. Tu pan Cedur zaprosił chłopca do „Krokodyla” na lody.

– Zapomnieliśmy z tego wszystkiego zapytać cię, bambino mio, jak się nazywasz.

Chłopak uśmiechnął się.

– Nazywają mnie Teodor.

– Teodor – bycze imię. Niech żyje Teodor! – zawołał pan Cedur, wznosząc szklankę oranżady do góry. – Twoje zdrowie, chłopcze, genialne bambino mio. A teraz powiedz nam, co to był za trick z tymi lustrami. Tego sposobu nie podaje żadna literatura fachowa, a wierz mi, bambino eroico[16], że przeczytałem dużo książek o zwierzętach. Doktora Jana Żabińskiego znam osobiście, lecz i ten maestro illustrissimo[17] nigdy nie wspominał o tego rodzaju chwycie w ujarzmianiu lwów.

– Och, to zupełnie proste. Cała rzecz w tym. że lew Mambo i lwica Brygida to były lwy c y r k o w e .

– Jak to: c y r k o w e ?- zdumiał się pan Cedur.

– Zwyczajnie. Zanim zostały sprzedane do ZOO, występowały w cyrku. I tam między innymi miały pokazowy numer z lustrami. Treserzy wychodzili do nich z lustrami, a one przeglądały się w lustrach i „tańczyły", to znaczy,jak treser zrobił jeden krok w lewo, to one też szły w lewo, a jak zrobił krok w prawo, to dreptały w prawo. Bardzo w gruncie rzeczy proste ćwiczenie.

– No dobrze, caporosso[18] mio, lecz skąd żeś ty o tym wiedział?

– Te lwy były zanotowane u nas w rejestrze.

– U was... to znaczy u kogo?

Teodor uśmiechnął się.

– Nazwa nic panu nie powie. Wystarczy, jeśli pan będzie wiedział, że jest u nas zastęp chłopców, którzy się interesują zwierzętami i specjalizują w wiedzy zoologicznej. Chłopcy ci znają wszystkie dzikie zwierzęta w ZOO i w cyrkach. Wiedzieliśmy, że Mambo i Brygida były to lwy z cyrku szwedzkiego, że zostały sprzedane do naszego ZOO, gdyż odznaczały się przykrym lenistwem, małą inteligencją i nie potrafiły nic więcej

---

[16] Bohaterski

[17] Najświętszy

[18] Rudowłosy

poza numerem z lustrami, który już znudził się publiczności. Jeden treser chciał je nauczyć nowych sztuk, ale one zjadły go w czasie ćwiczeń. To do reszty zniechęciło dyrektora cyrku i dlatego sprzedał je do ZOO.

Dzisiaj rano, gdy usłyszeliśmy przez radio rozpaczliwe komunikaty, zajrzeliśmy do rejestru i błyskawicznie ustaliliśmy plan działania.

– Więc prowadzicie także rejestr?

– Musimy prowadzić, proszę pana. Nasza siła polega na wiedzy. Tylko wtedy można pomagać ludziom, jeśli się dużo wie.

Pan Cedur mrugał oczami i patrzył na siedzącego przed nim chłopca jak na egzotyczne zjawisko. Nagle uniósł brwi do góry i znieruchomiał na chwilę. Olśniła go jedna myśl.

– Bóg cię nam zsyła, ragazzo[19] eroico. Kto jak kto, ale ty odnajdziesz nam Marka Piegusa. Wyczuwam w tobie detektywa, mój chłopcze. Sprawą tą zajmował się detektyw Kwass, lecz zginął tajemniczo w niewyjaśnionych okolicznościach. Zachodzi obawa, że wpadł w szpony opryszków.

– Detektyw Kwass?... – Teodor zmarszczył brwi, a jego zdumiewający jeż stał się jeszcze bardziej podobny do szczotki ryżowej.

– Znasz go?

– Kapitan Trepka wspomniał mi o nim.

– Kapitan Trepka? Czyżbyś miał jakieś konszachty z milicją?

Teodor potrząsnął głową.

---

[19] Chłopcze

– Kapitan Trepka jest moim znajomym i udziela mi czasem wskazówek.

– Kim ty jesteś właściwie, bambino mio – zaniepokoił się pan Cedur – harcerzem, treserem, żonglerem, cyrkowcem czy detektywem?

– Wszystkim po trochu, proszę pana – mruknął Teodor niezadowolonyz natrętnych pytań. – Ale ja o tym nie lubię mówić. Jestem Teodorem, i koniec.

– Wracając do sprawy Piegusa... – chrząknął nieco speszony pan Cedur.

– Niech pan będzie spokojny. Zajmujemy się tą sprawą już od dwu dni.

– Zajmujecie się... to znaczy kto... jest was więcej? – zamrugał oczyma Alek.

– Zajmujemy się – powtórzył zimno Teodor. – Nie sądzi pan chyba, że działam sam. Jest nas... mniejsza zresztą z tym, ilu nas jest. Dużo w każdym razie. Ale jeśli mamy odnaleźć Marka, pozwólcie, panowie, że ja będę pytał.

★

W godzinę potem Alek wraz z Teodorem stukali do drzwi mieszkania państwa Piegusów. Drzwi otworzyła im zapłakana pani Piegusowa. Dopiero przed chwilą dowiedziała się o strasznym wypadku w ZOO.

– Alek – wykrzyknęła, okrywając go pocałunkami, niedobry chłopaku, coś ty nawyprawiał.

W chwilę później wpadł pan Piegus. Wracał z komisariatu, gdzie go poinformowano, że cała sprawa zakończyła się szczęśliwie, i że obaj obywatele już od dwóch godzin są na wolności.

Alek otrzymał nową porcję wymówek od wuja, musiał po raz trzeci i dziesiąty opowiadać o swojej przygodzie, wreszcie udało mu się przedstawić Teodora, który czekał spokojnie w kącie, uśmiechając się wyrozumiale pod nosem.

– To jest Teodor – powiedział krótko.

Piegusowie spojrzeli zdziwieni na stojącego skromnie chłopaka w czarnej kominiarskiej koszuli.

– Teodor? – wymamrotał pan Piegus.

– No przecież mówiłem wujowi, to ten chłopak, co nas uratował od lwów.

– A, ten z lustrem.

– Tak, to waśnie on.

– Miało ich być dwu.

– Ten drugi otrzymał zadanie i musiał zostać na miejscu.

– Więc ty jesteś Teodor... – powtórzył pan Piegus – a niechże cię uścisnę! – Objął serdecznie chłopaka. – Dziękuję ci, dzielny chłopcze!

– Puśćże go, bo go udusisz – powiedziała pani Piegusowa – a ja też chciałabym go wyściskać, póki jeszcze żywy.

I teraz ona przez pięć minut ściskała Teodora.

– Niech go już wujenka puści – powiedział Alek. – Teodor przyszedł tu w sprawie Marka.

– Nie rozumiem – pani Piegusowa drgnęła na wspomnienie syna.

– Teodor obiecał odnaleźć Marka – wyjaśnił Alek.

– Czy to prawda, mój chłopcze? Masz może o nim jakieś wiadomości?

– Nie, jeszcze nie mam, ale słyszałem o tej sprawie. Mówił mi już o niej Czesiek. Państwo znają Cześka? Wydaje mi się ciekawa i chętnie się nią zajmę.

– Ależ to sprawa kryminalna, dziecko – zaniepokoiła się pani Piegusowa.

– Zajmujemy się przede wszystkim sprawami kryminalnymi, proszę pani.

– Wy, to znaczy kto?

– Ja i moi... ludzie.

– Chłopcze, żartujesz chyba... – uniósł brwi do góry pan Piegus.

– Niech pan o nic nie pyta – przerwał mu ostro Teodor. – Rozumie się chyba samo przez się, że jeśli załatwiamy sprawy podejrzane i nieczyste, jeśli rozwiązujemy zagadki kryminalne i pomagamy ludziom w tajemniczych i najtrudniejszych sprawach, musimy zachować niewyraźną twarz, czyli incognito, proszę pana.

– Mówisz dosyć rozsądnie, młodzieńcze – powiedział pan Piegus – wydaje mi się jednak, że nie mam prawa zaprzęgać cię do tej sprawy. Wierz mi, że to nie zabawka.

Teodor rozejrzał się po pokoju.

– No trudno, w takim razie pójdę sobie i będę próbował działać na własną rękę.

– Chłopcze, ani się waż! – przestraszył się pan Piegus. – Będę musiał zawiadomić twoich rodziców i uprzedzić ich o twojej decyzji.

– Nie mam rodziców, proszę pana. Mam tylko stryjenkę, ale stryjenka cały dzień jest poza domem, bo trzyma kiosk inwalidzki na Okęciu.

– Ach, tak! – stropił się pan Piegus. – W każdym razie powinieneś wrócić do książek, to nie są sprawy dla dzieci takich jak ty.

– Nie jestem już dzieckiem, proszę pana.

– Nie jesteś dzieckiem? A ileż ty masz lat, za przeproszeniem?

– Piętnaście skończę w lipcu.

– Proszę bardzo, piętnaście skończysz w lipcu – powtórzył nieco zgryźliwie pan Piegus. – A to rzeczywiście poważny wiek.

– W tych sprawach, proszę pana – powiedział spokojnie Teodor – nie tyle decyduje wiek, ile naturalne zdolności, tak mówi pan Trepka, który zna się na tych sprawach. Pan słyszał o kapitanie Kajetanie Trepce z komórki eksperymentalnej Komendy Głównej Milicji?

– To ten, co rozstrzyga te skomplikowane sprawy kryminalne?

– Tak, proszę pana, on rozstrzygnął sprawę „Przystani Eskulapa" i zamachów na Anatola Patterhorna.

– Ty go znasz? – zapytał podejrzliwie pan Piegus.

– Dosyć dobrze. Miałem szczęście pomóc mu raz w jednej sprawie i stąd nasza znajomość.

– I milicja pozwala wam na pracę detektywistyczną?

– Mamy specjalne zezwolenie, niestety, nie mogę go państwu pokazać, gdyż jest to zezwolenie tajne, i okazujemy je tylko funkcjonariuszom milicji w razie potrzeby. Jeśli natomiast państwo wciąż jeszcze nie mają zaufania, proszę zadzwonić do Komendy Głównej, poprosić kapitana Jaszczołta i zapytać o Teodora. On poświadczy.

– Ależ nie, wierzymy ci, mój chłopcze, byłoby nam tylko bardzo przykro, gdybyś z powodu tego urwisa Marka dostał się w jakieś opały – rzekł pan Piegus.

– Niech pan się nie boi. Pracujemy ostrożnie i mamy jak dotąd diabelne szczęście. Zresztą, co byłoby warte życie bez ryzyka.

– Chłopcze, przerażasz mnie.

– Ryzykujemy w dobrej sprawie. Uratowaliśmy dotąd siedem istnień ludzkich, a nie straciliśmy ani jednego. Rachunek się opłaca. Ale czas zająć się sprawą. Czy są jakieś wiadomości o detektywie Kwassie?

– Żadnych – powiedziała pani Piegusowa.

– Nawet listownych? – zapytał Teodor.

– Sądzi pan, że detektyw Kwass mógł coś napisać?

– Myślę, że gdyby był schwytany, w każdym razie starałby się napisać gryps – powiedział Teodor. – To samo zrobiłby, gdyby jakieś okoliczności zmusiły go do nagłego wyjazdu lub ukrywania się.

– Nie było żadnych listów – powiedział pan Piegus.

– Nie wiadomo – zamruczała pani Piegusowa, człapiąc do skrzynki przy drzwiach – z tego wszystkiego od trzech dni nie wybieram już listów.

Otworzyła skrzynkę. Ze skrzynki wypadło kilka listów. Pan Piegus włożył okulary i szybko przebiegł oczami po niebieskich kopertach. Wreszcie podniósł do góry jedną.

– Jakieś nieznane pismo – powiedział i otworzył kopertę. – Tak, to od Kwassa.

– Czy mogę zobaczyć, proszę pana? – zapytał Teodor.
Pan Piegus bez słowa wręczył mu kartkę.

Teodor przeczytał:

Szanowni Państwo!

Jestem na tropie. Przeprowadzam jedną małą inwigilację. Wkrótce ptaszek zostanie uwięziony, tak jak na to zasłużył. Nie meldować milicji jeszcze przez dziesięć dni. Od wczoraj siedzę plackiem. Opróżniłem już całą flaszkę. Studiuję znudzony szachy, nie ma pod słońcem lepszej gry.

Łączę pozdrowienia
Kwass

– No, nareszcie wiadomości – odetchnęła pani Piegusowa. – Bogu dzięki, detektyw żyje... A tak się martwiłam! Taki poczciwy człowiek, dla naszego dziecka przerwał swoje zajęcia c h o r r e o g r a f i c z n e, naraził się na różne niebezpieczeństwa.

– Tak, żyje – odsapnął pan Piegus – a nawet przeprowadza inwigilację. To nam tłumaczy, dlaczego nie może się ruszyć z miejsca.

– Wiedziałem, że detektyw Kwass nie da się zjeść w kaszy – wtrącił kuzyn Alek.

Tylko jeden Teodor milczał i uważnie oglądał kopertę.

– Czemu się tak przyglądasz, chłopcze?

– Dziwię się. Jak ten list mógł do nas przyjść?

– A rzeczywiście – zauważył pan Piegus – nie zwróciłem na to uwagi. Przecież pan Kwass zniknął dopiero wczoraj o jedenastej wieczorem...

– A list już zdążył przyjść – dokończył Teodor. – Już zdążył przyjść, choć jest dopiero jedenasta rano – mruknął.

– A listonosz przychodzi dopiero o dwunastej – wtrąciła pani Piegusowa.

– Rzeczywiście, jakaś podejrzana historia.

Teodor wydostał lupę i zaczął oglądać znaczek pocztowy.

– To jest podrobiony list – powiedział, podnosząc oczy.

– Jak to, sądzisz, że to nie pan Kwass go pisał? – zapytał pan Piegus.

– Nie wiem, może pisał, a może nie. Nie znam pisma detektywa Kwassa – odparł Teodor. – Jedno jest pewne, ten list nie został doręczony przez pocztę.

– Lecz przecież znaczek...

– Znaczek jest stary. Naklejono na kopertę stary znaczek pocztowy.

– Lecz przecież stempel – zawołał pan Piegus – na stemplu jest data piętnastego czerwca, to znaczy dzisiejsza!

– Nie, tam jest data trzynastego maja – powiedział Teodor. – Trójka źle się odbiła, jest niewyraźna i może uchodzić za zamazaną piątkę. A ta piątka rzymska nie ma koło siebie pałki, tylko jakąś plamkę. To jest na pewno maj, nie czerwiec.

– Ale po co ktoś przysyłałby taki list?

– Właśnie się nad tym zastanawiam. Boję się, czy to przypadkiem nie jest podstęp. Pan Kwass może znajdować się w rękach przestępców. Przestępcy sfabrykowali list, żebyśmy się nie niepokoili o los Kwassa i nie meldowali milicji. No bo do tego właściwie sprowadza się treść listu.

– Istotnie, to się wydaje bardzo prawdopodobne, sfabrykowali list pisany rzekomo przez Kwassa i wrzucili do naszej skrzynki.

– Czy państwo mają jakąś próbkę pisma pana Kwassa? Może jakiś list czy notatkę pisaną jego ręką – zapytał Teodor.

– Chyba nie – odrzekł pan Piegus. – O ile pamiętam...

– Ja mam – przerwał mu Alek. – Poprosiłem pana Kwassa o autograf w moim notatniku. Pokażę... Ale pod jednym warunkiem... – zaczerwienił się.

– Pod warunkiem? Co ty wygadujesz – zniecierpliwił się pan Piegus – pokazuj i już.

– Nie... nie mogę, pan Kwass napisał mi specjalną notatkę pamiątkową i mogę ją pokazać tylko pod warunkiem, że nikt nie będzie o nic pytał.

– No dobrze... dobrze... – zdenerwował się pan Piegus – ostatecznie nie chodzi nam o treść, tylko o charakter pisma pana Kwassa.

Alek wyciągnął z kieszeni klucz, odemknął swoją szufladę i wręczył Teodorowi notatnik.

– To tutaj – pokazał.

Pan Piegus zajrzał ciekawie.

Mojemu współpracownikowi Alkowi, który odkrył tajemnicę wielokrotnych włamań do pewnego mieszkania

pełen podziwu
Hippollit Kwass

– Co to ma znaczyć? – uniósł do góry brwi pan Piegus. – Ty też zajmowałeś się pracą detektywistyczną? Gdzie, kiedy?

– Wujek obiecał, że nie będzie o nic pytał. – Alek miał bardzo niewyraźną minę.

Tymczasem Teodor uważnie porównywał oba pisma, przyglądając się poszczególnym literom przez szkło powiększające.

– Nie może być żadnych wątpliwości – powiedział – to... jest to samo pismo. A zatem list pisał detektyw Kwass osobiście.

– Lecz w takim razie, co znaczy ta cała historia z fałszywym znaczkiem. Po cóż detektyw Kwass dopuszczałby się takich oszukańczych machinacji?

Teodor uśmiechnął się.

– List mógł pisać detektyw Kwass własnoręcznie, ale nie dobrowolnie.

– Jak to?

– Sądzisz, że ktoś...

– Ktoś go mógł zmusić. Jeśli Kwass znajduje się w rękach opryszków, przestępcy ci mogli go zmusić do napisania tego listu, żeby powstrzymać nas oddziałania, od meldowania milicji o zaginięciu człowieka. Dziwię się tylko, że detektyw Kwass zgodził się na napisanie takiego listu. Uważałem go zawsze za twardą sztukę –

zamyślił się Teodor. – Chyba... chyba że... – wpatrywał się bystro w kartkę.

– Chyba że co? – podchwycił niecierpliwie Alek.

– Zaraz... zaraz... – mruczał Teodor, wykonując dziwne manipulacje.

Oglądał list pod światło. Potem ruszył do kuchni, zapalił gaz i ogrzewał nad nim kartkę.

– Nie... to nie to... – mruczał – a jednak... coś w tym musi być...

Wrócił do pokoju i zaczął raz po raz odczytywać treść listu i liczyć coś pod nosem. Rodzice Marka, Alek i pan Surma przyglądali mu się ze zdziwieniem.

Nagle Teodor zerwał się z krzesła z radosnym okrzykiem:

– Mam! W tym liście jest zaszyfrowana wiadomość.

– Zaszyfrowana wiadomość? – wszyscy patrzyli na niego niedowierzająco.

– Tak, proszę zobaczyć... List składa się z siedmiu wierszy. Pierwszy i siódmy, zawierające inwokację i podpis, odrzucam. Zostaje pięć wierszy pełnych. Policzcie państwo liczbę wyrazów w każdym wierszu.

Rodzice Marka, pan Surma i Alek pochylili się nad kartką.

– Rzeczywiście zdumiewające – podniósł się pan Surma – W każdym – wierszu jest osiem wyrazów – to chyba nie wygląda na zbieg okoliczności.

– Na pewno nie – powiedział podniecony Teodor. – Zastanówmy się, dlaczego jest akurat po osiem wyrazów, czyżby to miało jakieś znaczenie? Dlaczego detektyw Kwass pisał po osiem wyrazów? Co chciał nam przez to powiedzieć. Co nam przypomina te osiem wyrazów w każdym rzędzie?

Teodor potoczył wzrokiem po twarzach przyjaciół, nikt się nie poruszył.

– Cóż może znaczyć osiem wyrazów – wzruszył ramionami Alek.

– Jak to: co? – wykrzyknął Teodor. – Osiem pól szachowych w jednym rzędzie!

– Pól szachowych? Oszalałeś, chłopcze – zdumiał się pan Piegus.

– Przypuśćmy, że tak – zamruczał pan Surma – ale jaki to ma sens, co, że tak powiem, z tego.

– To – powiedział spokojnie Teodor – że jeśli począwszy od pierwszego wyrazu listu, to znaczy od wyrazu „Jestem", będziemy posuwać się ruchem konika szachowego w prawo, a potem na samym dole zawrócimy w lewo, odszyfrujemy następującą wiadomość:

Jestem uwięziony przez flaszkę pod plackiem.

Pan Surma i Alek wybuchnęli śmiechem.

– Świetny kawał, chłopcze! – trząsł się pan Surma.

– Świetny kawał!

– Ależ to wcale nie jest kawał. To wiadomość poważna – bronił się Teodor.

– Poważna. A to dobre. „Jestem uwięziony przez flaszkę" – chichotał pan Surma.

– I „pod plackiem" – pokładał się ze śmiechu Alek.

– Rzeczywiście, chłopcze – rzekł pan Piegus – to dosyć niepoważnie wygląda. Zdaje się, że poniosła cię fantazja i młodzieńczy zapał.

– Jak to, czy pan nie widzi – wykrztusił Teodor – wyrazy ułożyły się w zdanie.

– Ale w jakie zdanie, mój chłopcze. Zdanie bez sensu, powiedziałbym, głupawe zdanie.

– A jednak wyszło zdanie – upierał się Teodor.

– To czysty przypadek.

– Nie – pokręcił głową Teodor.

– Cóż w takim razie według ciebie oznacza to dziwaczne zdanie?

– Cały czas o tym myślę, proszę pana – rzekł zadumany Teodor. – Gdybym tylko mógł rozszyfrować znaczenie słów „flaszka" i „placek"! One coś muszą znaczyć. One muszą znaczyć coś bardzo ważnego.

Rozdział VIII

Ekspert Celestyn wyjaśnia. Pirydion w akcji. Trzech typów pod kościołem św. Bazylego. Sezamie, otwórz się!

W jedenastoletniej szkole męskiej im. Lindego rozpoczęła się wielka przerwa. Pół tysiąca chłopaków wypadło na olbrzymi, słoneczny plac, napełniając go tak niesamowitym wrzaskiem, że wszystkie okna w kamienicach dookoła zaczęły się w popłochu zamykać.

Tylko czterech chłopców nie brało udziału w zabawach. Przykucnięci na ławce pod rozłożystym kasztanem w kącie boiska dyskutowali nad kawałkiem zapisanego papieru. Dwu z nich już poznaliśmy. To Teodor i Pirydion. Pozostali nosili przezwiska Pinokio i Celestyn. Pinokio był szczupły jak patyk i wzrostu piątoklasisty, choć chodził podobnie jak Pirydion do klasy ósmej. Celestyn, wielki i ociężały, o grubych szkłach na oczach, wyglądał przy nim jak słoń przy komarze.

– No i co ty na to, Celestynie? – zapytał Teodor ociężałego chłopaka, który widać cieszył się dużym szacunkiem zebranych.

Celestyn zasapał i otarł pulchną łapą pot, który mu występował na różowym czole prawdopodobnie na skutek napięcia myślowego.

– Flaszka... flaszka to musi oznaczać nazwisko bandyty, który uwięził detektywa Kwassa – wysapał wreszcie nosowym głosem.

– Nie ma przestępcy o takim nazwisku w naszym wykazie – mruknął Pirydion.

– A Albert Flasz? – wykrzyknął Celestyn. – Nie słyszeliście o Albercie Flaszu, przestępcy o skłonnościach alkoholicznych, lecz obdarzonego piekielnym talentem organizacyjnym?

– To prawda – Pirydion zerknął do grubego czarnego brulionu. – Albert Flasz od roku znajduje się na wolności.

– Zapewne zdążył do tego czasu zorganizować nową bandę – mruknął zamyślony Teodor.

– Ale flaszka to nie Flasz.

– On nie mógł inaczej napisać – powiedział Teodor. – Bandyci zmusili go do napisania listu, w którym uspokajałby swoich klientów i powstrzymywał ich od meldowania milicji o swoim zniknięciu. Detektyw Kwass zgodził się taki list napisać, ponieważ to była jedyna okazja przesłania z jego więzienia zaszyfrowanych wiadomości. Nie mógł tam jednak używać nazwiska Flasz, gdyż bandyci nie przepuściliby takiego listu. Czy muszę ci tłumaczyć tak dziecinnie łatwe rzeczy?

– No dobrze, a cóż w takim razie znaczy „placek". Napisał, że siedzi pod plackiem.

– To jest zaszyfrowane miejsce jego pobytu.

– Tyle to i ja wiem – uśmiechnął się wzgardliwie Pirydion.

Celestyn poruszył się ciężko. Jego wypukłe rybie oczy utkwione były w liście.

– Placek to znaczy Jacek – odpowiedział pomału.

– Jak? Coś powiedział? – podniósł do góry brwi Pirydion.

– Placek to Jacek.

– Niby dlaczego?

– Jak byłem mały – westchnął Celestyn – jak byłem mały, mamusia czytała mi książkę pod tytułem „O dwóch takich, co ukradli księżyc"...

– Znam – powiedział Pinokio – tam występowali Jacek i Placek.

– No i co z tego?

– Jak to: co? – podskoczył podniecony Pinokio. – Ci dwaj chłopcy byli zupełnie do siebie podobni... byli tacy sami. Nieraz na jednego z nich mówili Placek, to znów Jacek.

– Tak... właśnie dlatego – westchnął Celestyn – mówię, że Jacek to Placek, a Placek to Jacek.

– Doskonale, Celestyn – powiedział zadowolony Teodor, ściskając grubasa – teraz już wszystko rozumiem. Detektyw Kwass jest uwięziony pod Jackiem.

– Pod jakim znów Jackiem? – wyjąkał Pirydion. – Szefie, co szef?

– Zdecydowanie nie jesteś dzisiaj w formie, Pirydion – uśmiechnął się Teodor. – Pod Jackiem, to znaczy pod świętym Jackiem. To znaczy pod kościołem świętego Jacka.

– Pod kościołem świętego Jacka?

– Tak, w twoim rejonie. Muszą tam być jakieś piwnice albo lochy i tam trzymają detektywa Kwassa. Może kościelny należy do bandy.

– E, żartujesz...

– Oczywiście, to tylko domysły, ale już wiemy, czego się trzymać. Pirydion, zbadasz z zastępem podziemia kościoła świętego Jacka. Telefonuj zaraz pod centralę.

★

Tego jeszcze dnia wieczorem Teodor odebrał meldunek w swojej centrali przy ulicy Muezinów. Pirydion donosił, że spenetrowano piwnice kościoła. Lochów nie ma. W piwnicach zakonnicy trzymają beczki z ogórkami i kiszoną kapustą.

Oświadczył natomiast, że owszem, zauważono podejrzane ruchy znanych przestępców, ale koło kościoła świętego Bazylego.

– Bazylego? – wykrzyknął Teodor.

– Tak, Bazylego.

– Wchodzili do kościoła? – zapytał.

– Nie, znikali przy kościele.

– Jesteś pewny?

– Pytałem tamtejszego księdza oraz kościelnego. Do kościoła nikt nie wchodził. W ogóle ten kościółek jest mało uczęszczany.

– Od rana zajmiecie tam posterunki – powiedział Teodor – i zbadacie, dokąd przechodzą przestępcy. Przyjdę do was koło pierwszej.

– Tak jest, szefie – Pirydion odłożył słuchawkę.

Następnego dnia Pirydion ze swoim zastępem czatował od rana pod kościołem Świętego Bazylego. Ksiądz miał rację. Do kościoła nikt nie zaglądał. Koło godziny dziesiątej zakrystian zamknął drzwi kościoła i, wzdychając ciężko, powlókł się na plebanię.

– Chyba i my pójdziemy – mruknął zastępca Pirydiona, różowy blondas, zwany Nudysem.

– Poczekamy jeszcze do dwunastej – powiedział Pirydion, patrząc na pęk wielkich kluczy, który wraz z zakrystianem znikał z pola widzenia. – Tylko trzymajcie fason, chłopaki, i nie opuszczajcie stanowiska. Jak będziecie tak stać całą bandą i gapić się we wrota kościelne, nic z tej zasadzki nie wyjdzie.

Chłopcy źli i znudzeni powlekli się na wyznaczone stanowiska za starymi kasztanami. Żeby ich podnieść na duchu, Pirydion rozdał po pudełku pestek na człowieka, ale to nie poprawiło sytuacji, wprost przeciwnie. Chłopakom zachciało się pić i Pirydion musiał dymać do budki z oranżadą. Pod budką stało dwu łysawych facetów i popijając wolno piwo, patrzyli raz po raz z pewną niecierpliwością na eleganckie „doxy" na przegubach niezbyt czystych rąk.

Jeden był barczysty, dwumetrowego chyba wzrostu, o spłaszczonym nosie i wielkich łapach goryla. Na rękach mimo upału miał czarne rękawiczki, które zalatywały benzyną. Drugi miał zeza i nie można było zgadnąć, w którą stronę patrzy.

Pirydion początkowo zagapił się na nich ciekawie, ale zaraz przypomniał sobie o przykazaniu Teodora i czternastym punkcie regulaminu detektywów, który zakazywał surowo zwracania na siebie uwagi podczas pełnienia obowiązków służbowych na ulicy. Nie chcąc jednak tracić obu typów z oczu, przedłużył, jak tylko się dało, zakupy oranżady, grymasząc, że bez gazu, to znów szukając drobnych. Wreszcie zaczął kupować po pięć deka cukierków rozmaitych gatunków, a na końcu irysy na sztuki.

W ten sposób upłynęło co najmniej dziesięć minut, ale przez cały ten czas żaden z typów nie odezwał się ani słowem. Już Pirydion myślał, że na nic cała inwigilacja, kiedy nagle z bocznej ulicy wypadł zadyszany tłustawy jegomość z bródką, dźwigając czarną, pękatą teczkę. Na jego widok łysawi porzucili niedopite piwo i ruszyli za nim.

Pirydionowi serce stanęło na moment w piersiach. Szli w kierunku kościoła świętego Bazylego. Czyżby... Lecz przecież kościół był zamknięty. Nie pozostawało nic innego, jak dyskretnie ich obserwować.

Trójka podejrzanych typów weszła w zarośla bzów i jaśminów koło południowej ściany kościoła i... zniknęła z pola widzenia. Pirydion dał z daleka znak chłopakom za kasztanami. Doskoczyli szybko do krzaków i ostrożnie zaczęli przedzierać się przez gałęzie obsypane kwiatami. Nagle znieruchomieli. Pirydion dopadł do nich.

– No i co? – zapytał zdyszany.

Popatrzyli na niego okrągłymi, przerażonymi oczyma.

– Zniknęli – wykrztusił Nudys.

– Jak to? Gdzie? – warknął Pirydion, odgarniając gałęzie.

– Tam – pokazał Nudys.

– Nie opowiadajcie głupstw – mruknął zdenerwowany Pirydion – oni nie mogli zniknąć. Gdzie zniknęli, w murze? Musieli pójść koło ściany kościoła.

To powiedziawszy, zawołał chłopaków z posterunków w zaroślach.

– Czy widzieliście, dokąd oni poszli? – zapytał ostro.

– Jacy „oni", o kim mówisz?

– No, o tych trzech typach. Jeden był wielki chyba na dwa metry, atleta. Musiał zwrócić waszą uwagę.

– Nie widzieliśmy nikogo.

– To niemożliwe. Przeszli koło muru! – wykrzyknął Pirydion. – Co z wami, do licha, pospaliście się?

– Nie widzieliśmy nikogo.

Patrzyli na Pirydiona ogłupiałymi oczyma, zdziwieni, dlaczego się ciska.

– Mówiłem, że dranie zniknęli – wtrącił z uśmiechem pełnym satysfakcji Nudys.

– Głupi jesteś. Ludzie to nie kamfora.

Dopadł do ściany kościoła i oglądał ją bacznie. Uwagę jego zwróciła dosyć głęboka wnęka w zewnętrznym murze, w której znajdowała się stara, pełna rysów i pęknięć płaskorzeźba jakiegoś świętego zakonnika w habicie i z wygoloną pośrodku głową.

Schylił się i obejrzał dokładnie ziemię naokoło. Niestety, żadnych śladów nie było widać, ponieważ przy murze biegł chodnik z płyt piaskowca szerokości co najmniej ze dwa metry.

Święty uśmiechał się smutno i jakby trochę kpiąco kamiennymi oczami. Pirydion wzruszył ramionami i usiadł na skarpie. W tym momencie nadbiegł zadyszany Teodor.

– No i co? Macie typów? Mówcie.

Pirydion podniósł się z niewyraźną miną.

– Co się stało? Wymknęli się? – dopytywał Teodor.

– Boję się, że tak.

– Którędy?

– Nie mam pojęcia.

– Jakieś luki w obstawie – przygryzł wargi Teodor – zagapiliście się, fajtłapy.

Chłopcy spuścili głowy.

– Nie – powiedział głośno Pirydion, patrząc w oczy Teodorowi. – Żaden z moich ludzi nie zagapił się nigdy. Pod tym względem mam do nich zupełne zaufanie. Potrafią jęczeć, stękać, niektórzy mają wstręt do mycia, ale nie gapią się nigdy na służbie.

– No dobrze – mruknął Teodor – przypuśćmy, że zniknęli. A czy możecie wskazać, gdzie?

Nikt mu nie odpowiedział. Chłopcy patrzyli po sobie.

– No, śmiało. Odpowiadać, gdzie zniknęli. W ziemi, w drzewie?

– W murze – odezwał się najmłodszy, zwany Pikolo.

– W którym miejscu?

– Tu.

– Gdzie?

– Tam przy tej rzeźbie.

– W tej wnęce?

– Tak.

Teodor podszedł do wnęki i obejrzał szczegółowo płaskorzeźbę świętego.

– Niemożliwe – szepnął do siebie. – A jednak...

Nagle wykrzyknął:

– Rozumiem! Teraz już wszystko jasne.

Pirydion i chłopcy patrzyli na niego ze zdziwieniem.

– To przecież płaskorzeźba świętego Jacka – mówił podniecony Teodor. – O ile mi wiadomo, był on zakonnikiem. To o tym Jacku pewnie pisał detektyw Kwass. To jego miał na myśli, a ja głupi myślałem, że chodzi o kościół świętego Jacka.

– W takim razie – wykrzyknął Pirydion – detektyw Kwass musi się gdzieś tutaj w pobliżu znajdować, przecież pisał, że jest uwięziony pod Jackiem.

– Tak jest – powiedział Teodor. – Tutaj gdzieś musi się znajdować detektyw Kwass. Ci podejrzani osobnicy, których widzieliście, na pewno mogliby coś na ten temat powiedzieć.

– Jeśli dowiemy się, gdzie oni zniknęli, dowiemy się zarazem, gdzie przebywa detektyw Kwass.

– Ale jak się dowiedzieć? – zapytał ponuro Pirydion.

Teodor uśmiechnął się tajemniczo i zamiast odpowiedzieć zapytał tylko:

– Macie przy sobie drut?

– Oczywiście, komendancie – zameldował Pirydion. – Zawsze nosimy przy sobie odpowiednie narzędzia. Cały komplet wymieniony w regulaminie. Pikolo – zwrócił się do malca obciążonego wypchanym plecakiem – podaj drut.

– Stalowy, miedziany czy żelazny zwykły? – zapytał rzeczowo Pikolo.

– Może być stalowy – mruknął Teodor – tylko szybko.

Pikolo wręczył mu drut.

Wszyscy ciekawie patrzyli na Teodora. Teodor odwinął z kłębka kawał drutu metrowej długości i ku zdumieniu chłopców wsunął w szczelinę płaskorzeźby. Drut wszedł lekko. Teodor pchał go dalej, rozwijając kłębek. Potem wyciągnął z powrotem, znowu zwinął pedantycznie w kłębek i wręczył Pikolowi.

– No i jak? Rozumiecie teraz?

Chłopcy patrzyli oniemiali to na płaskorzeźbę, to na Teodora.

– Chcesz powiedzieć, że tam jest pusta przestrzeń – wyszeptał Pirydion.

– Loch – wyjąkał przejęty Pikolo.

– Myślisz, że tam zniknęli ci podejrzani osobnicy? – zapytał Pirydion.

– Ale jak? – Pikolo patrzył na Teodora okrągłymi oczami. – Przez tę szparkę nie wciśnie się nawet mysz.

– Jak?... – uśmiechnął się Teodor. – A tak.

To mówiąc, chwycił nagle świętego za rękę i z całej siły pchnął ją w prawo. Chłopcy zastygli i w śmiertelnej ciszy śledzili ruchy Teodora. Rozległ się chrobot podobny do przesuwania ciężkiej bryły kamienia po twardym podłożu, cała prawa część płaskorzeźby drgnęła i zaczęła się przesuwać zrazu ciężko i pomału, a potem zupełnie lekko, jakby na łożysku, odsłaniając czarną czeluść. Powiało zimnym, piwnicznym powietrzem. Chłopcy cisnęli się jeden przez drugiego, by zobaczyć niesamowite zjawisko. Wkrótce łysina świętego, jego ucho, zakonny kaptur, prawa ręka i wszystko, co się od nich znajdowało na prawo, odjechało w bok, naprzeciw zaś chłopców pojawił się prostokątny otwór szerokości blisko pół metra.

★

Teodor ciekawie oglądał dolny brzeg otworu.

– Patrzcie! To prawdziwe łożysko kulkowe.

Istotnie w dole znajdował się rowek, w którym błyszczały zimno stalowe kulki osadzone w gęstej, żółtawej mazi.

– Towot – mruknął fachowo Teodor – bardzo sprytnie pomyślane urządzenie. Nikt by się nie domyślił, że tutaj znajdują się drzwi – pokazał, zasuwając z powrotem kamienny blok. – Popatrzcie, jak wykorzystali te zagłębienia, rysy i pęknięcia w płaskorzeźbie. Zupełnie nie widać, że składa się ona z dwóch części, z których jedna, ta prawa, jest ruchoma.

Teodor spojrzał na zegarek, potem powiedział:

– Potrzebuję trzech ochotników do akcji. Akcja jest niebezpieczna. Wchodzimy do kryjówki wroga. Kto się zgłasza?

Odpowiedział mu jeden przeciągły wrzask. Wszystkie ręce wyciągnęły się do góry.

Teodor uśmiechnął się zadowolony.

– Wszystkich nie mogę zabrać. Będziemy losować. Pirydion, zorganizuj to. Biorę tylko sześciu.

Pirydion wyciągnął z kieszeni sześć irysów, zmieszał z korkami miętowymi i wrzucił do czapki.

– Dalej, ciągnijcie po kolei.

Wkrótce losowanie było zakończone. Do szóstki wylosowanej weszli, oprócz Pirydiona, Nudys, Pikolo, Mrówka, Stasio Kusibaba i Stefek Nowak.

– Potrzebuję także ludzi na powierzchni – Teodor spojrzał uważnie po chłopcach. – Gdybyśmy nie wyszli do godziny siódmej, trzeba będzie zawiadomić milicję. Kto zgłasza się do ubezpieczenia? Potrzebuję trzech ludzi.

– Wszyscy – wykrzyknęli chłopcy.

– Dobrze, zostańcie wszyscy. Tylko się tak ukryjcie, żeby nie zwracać niczyjej uwagi. Pirydion – zwrócił się do zastępowego – to jest odpowiedzialna robota, zostaniesz z nimi.

– Zostałem wylosowany – zaprotestował Pirydion.

– Jesteś potrzebny tutaj – uciął Teodor.

A widząc zmartwioną twarz Pirydiona, dodał cicho, ściskając go za ramię:

– Jesteś zdolny i jeśli ja zginę, musisz mnie zastąpić. Dlatego nie możemy się obaj narażać.

Pirydion przygryzł wargi i cofnął się bez słowa.

Teodor w milczeniu sprawdził latarki elektryczne, sznury, zapałki i inne przybory.

– A jak z prowiantem? – zapytał.

– Gorzej – odpowiedział Pirydion. – Nie spodziewaliśmy się, że będziemy robić większą wyprawę. Mamy tylko cztery manierki wody z sokiem wiśniowym, dziesięć paczuszek herbatników, cytrynę oraz puszkę konserw: „Skumbrie w tomacie”.

– Trudno – mruknął Teodor. – Nie mamy czasu. Lubię kuć żelazo, póki gorące. Boję się, że jak odłożymy wyprawę, oni się połapią i pokrzyżują nam plany. Zresztą miejmy nadzieję, że cała akcja nie potrwa długo.

W chwilę później chłopcy pakowali się kolejno jeden po drugim do otworu i znikali w ciemnej czeluści. Ostatni wszedł Teodor.

– Uważaj, żeby nikt tu się nie pętał. Aż do godziny siódmej sprawa musi być utrzymana w tajemnicy. I nie zapomnij zasunąć za nami płyty.

To powiedziawszy, znikł w otworze.

Rozdział IX

W katakumbach. Makabryczny kawał Nudysa i co z tego wynikło. Tajemnica pustego sarkofagu

Chłopcy ostrożnie schodzili w głąb wąskimi, kamiennymi schodkami, wijącymi się coraz niżej, jakby bez końca. Teodor przepchał się na początek i świecąc latarką, prowadził ten niesamowity pochód w głąb nieznanych czeluści. Na schodkach zauważył niedopałek papierosa, a nieco dalej zapałkę. Znać, że miejsce było uczęszczane.

Nagle, gdy uszli może ze sto stopni, korytarz rozszerzył się niespodziewanie w niską, okrągłą piwnicę o łukowych sklepieniach, podpartą w środku niską, grubą kolumną. Pod ścianami, dookoła, stały kamienne, szarobiałe sarkofagi. Niektóre z nich były otwarte i puste, inne zamknięte, z dość jeszcze czytelnymi napisami wyrytymi na kamiennych pokrywach.

CHRISTOPHORUS LASKA, ARIANUS,
MORTUUS 21 MAII ANNO DOMINI
1639

– odcyfrował pomału Teodor na jednym z grobowców.

– Patrzcie, groby – szepnął Pikolo.

– Jakie dziwne to podziemie – rozglądał się dookoła Nudys, pochylając głowę, żeby nie uderzyć o zbyt niski dla niego pułap.

– Tu pewnie grzebali zakonników – powiedział Pikolo.

– Nie, to są katakumby arian – mruknął Teodor.

– Arian? Co to za typy?

– A, tacy, wiesz... innowiercy w dawnych czasach, którzy nosili drewniane szable.

– Dlaczego?

– Nie mam czasu teraz ci opowiadać. Zapytaj się w szkole pana od historii, to ci powie.

– A dlaczego ich chowali w tak głębokich piwnicach? – chłopcy rozglądali się z bojaźnią dookoła. – Czy dlatego, żeby się zwłoki nie psuły?

– Nie. Tylko nie chcieli ich grzebać na zwykłych cmentarzach, a w ogóle to ich tępili i biedacy musieli się kryć.

Nudys spróbował podnieść kamienną pokrywę sarkofagu. Skoczyło mu jeszcze kilku chłopców do pomocy i nim Teodor zdążył ich powstrzymać, otworzyli grobowiec. W głębi coś leżało. Pochylili się ciekawie za latarkami i ujrzeli pomarszczoną, brązową, zaschłą twarz człowieka z wielkimi wąsami. Miał na sobie czarne, aksamitne ubranie.

– Popatrz, mumia – szepnął Pikolo.

– To dziwne – przygryzł wargi Teodor – jeśli z nieboszczyka zrobiła się mumia, to znaczy, że tutaj musi być bardzo suche powietrze i jakiś przewiew.

Rozejrzał się dookoła.

– Czujecie? – zapytał.

Po chłopcach przeszedł dreszcz.

– Co? – wytrzeszczyli oczy.

– No, nic. Po prostu świeże powietrze – zaśmiał się Teodor. – Popatrzcie, taka głęboka piwnica, a żadnego zapachu stęchlizny. Zupełnie jakby były wentylatory.

– Myślisz, że i tu jest jakieś zamaskowane wyjście? – zapytał Nudys.

– Na pewno – odparł z przekonaniem Teodor. – Tych trzech typów nie mogło się przecież ulotnić w powietrze.

– Może schowali się do sarkofagów... – szepnął przejęty Pikolo.

– Też marsz pomysły – wzruszył ramionami Teodor. Dlaczego mieliby się chować?

– No, usłyszeli, że idziemy, zobaczyli światło i przelękli się.

Teodor pokręcił głową.

– Jak chcesz, możesz zbadać sarkofagi, ja biorę się do oglądania ścian.

– Dalej... – dał znak chłopcom. – Oświetlcie mury i opukajcie je dokładnie, a zwracać uwagę na najmniejsze szczeliny.

Chłopcy zabrali się do roboty. Ściany były zbudowane z ciosowego kamienia. Jedne bloki przylegały ściśle do drugich. Mimo że poodbijali sobie palce od stukania, ciągle odpowiadał im tępy, słaby odgłos. Było jasne, że za murem nie kryje się żadna pusta przestrzeń.

Pikolo z Nudysem próbowali otworzyć zamknięte sarkofagi, ale poza grobowcem z mumią Krzysztofa Łaski żaden z sarkofagów nie dał się otworzyć. Pokrywy przylegały mocno do kamiennych skrzyń.

– Muszą być czymś przymocowane – stęknął Nudys, siłując się z pokrywą.

– Może oni trzymają od środka – zasapał czerwony z wysiłku Pikolo.

– E... nie bądź głupi – zbeształ go Nudys, ocierając czoło. – Zobacz, one są sklejone zaprawą murarską na amen. Trzymają jak cement. Alem się zmachał.

Przez chwilę dyszał oparty o grobowiec. Nagle jakaś myśl przyszła mu do głowy. Obejrzał się na chłopców zajętych opukiwaniem murów i kiwnął na Pikola.

– Te, Pikolo, chodź no. Zrobimy im kawał – uśmiechnął się diabelsko.

– Kawał! – Pikolowi zaświeciły się oczy. – Jaki?

– Patrz, tu są puste sarkofagi. Położymy się w sarkofagach i udamy mumie.

– Niezła myśli! – szepnął podniecony Pikolo. – Zaczną nas szukać, a kiedy zajrzą do naszych sarkofagów, my wyskoczymy z wrzaskiem. Będzie kino.

– Tylko uważaj, mały – ostrzegł go Nudys – ostrożnie, żeby nie zauważyli.

– Nie zauważą. Zobacz, wodzą nosami po ścianach. Zresztą zgasimy latarki.

– No to jazda. Ty skoczysz do tego na prawo, a ja do tego na lewo. Liczę do trzech. Na „trzy” skaczemy za jednym zamachem. Uważaj, raz, dwa, trzy... – zakomenderował Nudys.

Skoczyli jednocześnie.

Pikolo źle obliczył odległość i trochę potłukł sobie kolano. Przygryzając wargi z bólu, wyciągnął się w sarkofagu. Przeleżał tak parę minut. Nudys się nie odzywał.

– Nudys, jak tam u ciebie? – zapytał szeptem. – Ja się rąbnąłem w kolano, ale już mi przeszło...

Nudys nie odpowiadał.

Pikolo przypomniał sobie, że miał być cicho, i umilkł, ograniczając się tylko do drapania w łopatki, które zaczęły mu cierpnąć od leżenia na twardym kamieniu. „Niewygodnie jest być nieboszczykiem" – pomyślał niefrasobliwie i uśmiechnął się na myśl, jaki kawał zrobili chłopakom.

★

Leżał jeszcze może ze trzy minuty, kiedy nagle usłyszał niespokojne głosy chłopców:

– Gdziejest Pikolo?

– Nudys?! Patrzcie, nie ma Nudysa.

– Gdzie oni zniknęli?

– Zwiali.

– Stchórzyli.

– E, czemu by mieli stchórzyć.

– Poszukajcie ich lepiej.

– Pewnie kucnęli za sarkofagiem.

Chłopcy rozbiegli się między sarkofagami.

– Popatrzcie, tu jest jakaś nowa mumia! – rozległy się okrzyki.

– Popatrzcie, jakieś dziecko ariańskie leży...

– Dajcie tu światło... bo nic nie widać.

Chłopcy podbiegli z latarkami i nachylili się nad grobowcem. W tym momencie z głębi grobowca wyskoczyła z wrzaskiem mała postać. Chłopcy rozpierzchli się na wszystkie strony.

– Stać! Stać! – krzyczał Teodor. – Co wam się stało?

Ale chłopcy byli już na schodach.

– Mumia ożyła... – wykrztusił Mrówka, cały spocony.

– Oszalałeś, jaka mumia?! – krzyknął Teodor.

– Tam... tam stoi w kącie – bełkotał Mrówka, pokazując drżącą ręką.

– Przecież to Pikolo – powiedział Teodor, patrząc z politowaniem na Mrówkę. – Ładny zastęp. Wszyscy od razu w nogi. Hej tam, wracać ze schodów. Pikolo, co to za kawały? A gdzie Nudys?

– Nudys też jest mumią, proszę druha.

– Co? Co takiego?

– Leży w tym sarkofagu na prawo.

Teodor zasapał i zmierzył Pikola spojrzeniem pełnym nagany.

– Nudys, wyłaź! – krzyknął.

Nudys się nie odzywał.

– No, no, dosyć już tych żartów. Zapominacie, że to nie zabawa, tylko akcja. Wychodź, Nudys. Usnąłeś tam czy co?

Odpowiedziała mu grobowa cisza. Teodor doskoczył do sarkofagu i stanął osłupiały. Sarkofag był pusty.

– Mówiłeś, że on tu się schował.

– Tak. A bo co? – Pikolo spojrzał na niego zdziwiony.

– Tutaj nikogo nie ma.

– Niemożliwe.

Pikolo, a za nim wszyscy chłopcy podbiegli do sarkofagu.

– Co się z nim mogło stać?

– Patrzcie, został po nim guzik.

Pikolo schylił się po czarny krążek, ale nie mógł go dosięgnąć. Sarkofag był zbyt głęboki.

– Poczekaj, ja dostanę – chciał go odsunąć Teodor, ale Pikolo uprzedził go i nim się ktoś zorientował, wskoczył do grobowca.

Nagle stała się rzecz niesamowita. Dolna część sarkofagu zapadła się pod ziemię z lekkim gwizdem, odsłaniając na moment czarną przepaść. Chłopcy odskoczyli przerażeni.

Jeden Teodor nie stracił głowy i zaświecił w czeluść latarką. Zobaczył rozszerzone zdumieniem i strachem oczy biednego Pikola. Chłopak trzymał się kurczowo kamiennej niecki, która razem z nim zapadała się w czeluść. W tej samej chwili z dołu dał się słyszeć przeraźliwy krzyk Nudysa. Potem wszystko umilkło. Dno sarkofagu wracało powoli na swoje miejsce.

Chłopcy zamarli w bezruchu. Teodor stał i uśmiechał się pod nosem.

– No, jak wam się to podoba. A więc mamy i windę. Kto teraz ze mną na ochotnika?

Teodor postawił nogę na krawędzi grobowca. Nikt się nie poruszył.

– Co, strach was obleciał?

– Trochę za dużo tego wszystkiego jak na jeden dzień, proszę druha – wymamrotał Mrówka.

– Jechać można – bąknął drugi z chłopców nazwiskiem Kusibaba i poruszył nerwowo uszami. – Ale jak wrócić, proszę druha.

– Dobra – powiedział Teodor – wracajcie wszyscy na górę. Jadę sam.

Chłopcy patrzyli ponuro w ziemię, ale nikt się nie poruszył.

Teodor nie czekając dłużej, wskoczył do sarkofagu i zjechał na dół. Początkowo czuł, że żołądek podchodzi mu do gardła. Ta winda musiała kursować szybciej niż pośpieszne windy w Pałacu Kultury. Trwało to jednak na szczęście nie dłużej niż sekundę. Dźwig zahamował gwałtownie i przechylił się na bok, wyrzucając Teodora na ziemię.

Tuż koło niego błyskały dwa światła latarek.

– Nudys, Pikolo, to wy? – zapytał Teodor, sięgając po latarkę.

– Takjest, druhu.

– Cali, zdrowi?

– Tak jest, druhu.

Głosy chłopców drżały nieco, ale stali wyprężeni, starając się zachować fason.

– Co to za jaskinia? – zapytał Teodor, rozglądając się dokoła.

– Jakieś lochy, druhu – wyjąkał Nudys.

– Czy mogę o coś zapytać? – Mów.

– Czy... czy druh też tutaj zjechał omyłkowo, tak jak ja i Pikolo?

Teodor potrząsnął głową.
– To wszystko wchodzi w plan akcji. Tropimy przecież osobników, którzy porwali Marka Piegusa i uwięzili detektywa Kwassa.
– A... a reszta? – zapytał Pikolo.
– Reszta... – chrząknął Teodor.
– Czy oni tu nie zjadą?
Nim Teodor zdążył odpowiedzieć, rozległ się krótki gwizd powietrza, dno sarkofagu zjechało na dół powtórnie i wyskoczył z niego chuderlawy osobnik, w którym rozpoznać można było Mrówkę.
– Mrówka, ty tutaj?! – zawołał Nudys.
– Zjeżdżamy wszyscy – zasapał Mrówka. – Nie mogliśmy was zostawić samych.
Istotnie wkrótce „winda" zaczęła wyrzucać coraz to nowych detektywów. Teodor uśmiechnął się zadowolony.
– Morowo, chłopcy, ale dwu ludzi musi zostać na górze przy sarkofagach jako łącznicy.
Znów nie było chętnych. Przełamawszy raz strach, chłopcy palili się do wyprawy. Trzeba było urządzić losowanie. A los padł na Mrówkę i Stefka Nowaka. Z zaciśniętymi wargami wystąpili z szeregu.
– No, dobrze, proszę druha – Stasio Kusibaba poruszył niespokojnie uszami – ale jak oni wrócą na górę?
To było istotnie pytanie.
Chłopcy zadarli głowy i świecąc latarkami wpatrywali się w wąską kamienną gardziel zamkniętą u góry błyszczącym zimno dnem sarkofagu.
– Druhu, przecież... przecież my jesteśmy odcięci – wykrztusił wreszcie Pikolo.

– Jak sprowadzić na dół windę? – jęknął Nudys.

– Że też nie pomyśleliśmy o tym? – pociągnął płaczliwie nosem Mrówka.

– Trzeba było ją zatrzymać siłą na dole, jak tu zjechała ostatni raz – szepnął Nowak.

I wszyscy popatrzyli ze strachem na milczącego Teodora.

– Co teraz będzie? Jak ściągniemy windę?

– Trzeba zagwizdać, to zjedzie – powiedział Teodor.

– Druh żartuje – nastroszył się Nudys.

– Ech, wy technicy – Teodor uśmiechnął się pobłażliwie i poklepał Nudysa po wystających łopatkach – zobaczcie, oświecił latarką ściany szybu i pokazał grube stalowe liny zwisające z góry i ukryte w kamiennych osłonach okrągłe bloki, na które nawijały się te liny. – Ta winda kursuje na zasadzie bloku. Zjeżdża tu sama pod ciężarem pasażera, który kładzie się w sarkofagu.

– No właśnie – mruknął Nudys – pod ciężarem pasażera, ale jak sprowadzić ją w dół bez obciążenia?

– To proste – odparł Teodor. Zamiast wyjaśnić, pociągnął mocno jedną z lin i, o dziwo, okute błyszczącą blachą dno sarkofagu poczęło się pomału opuszczać...

– Czy to ci arianie wymyślili te wszystkie urządzenia? – zapytał z przejęciem Pikolo.

Teodor uśmiechnął się pobłażliwie.

– W tamtych czasach nie używano stalowych.lin. Przyjrzyj się tej linie. To jest taka sama lina, jakich się używa przy budowie – Teodor pochylił się z latarką. – Patrzcie, tu jest nawet jakiś napis na bloku. „H. Cegielski i Ska, Poznań". Zdaje się, że ci dranie skradli to z jakiejś fabryki albo budowy i wmontowali tutaj.

– Muszą mieć tutaj jakieś kryjówki, meliny.

– Na pewno tu się ukrywa jakaś banda.

– Są chyba uzbrojeni.

– Nie gadajcie tak głośno. Co będzie, jak usłyszą?

– A co zrobimy, jak nas zaatakują?

Teodor miał poważną minę.

– Musimy zachowywać się bardzo ostrożnie. I działać szybko. Mówiłem wam już, to nie jest zabawa.

Tymczasem dno sarkofagu znalazło się już u stóp chłopców.

– Mrówka i Nowak! – rozkazał Teodor. – Wsiadajcie! No, prędzej! Chłopcy pośpiesznie ułożyli się w windzie.

– Ciągnąć! – rozkazał Teodor.

Cztery pary rąk rzuciło się do lin. Wkrótce Mrówka i Nowak znaleźli się z powrotem na górze.

– A teraz naprzód – powiedział Teodor do pozostałych chłopców.

Rozdział X

Krew na zeszycie. Centralna melina. Ludzie z garnkiem grochówki. Teofil Bosmann. Veracoco

Czwórka chłopaków posuwała się ostrożnie niskim, podziemnym korytarzem. Najwyższy z nich, Teodor, musiał się ciągle pochylać, żeby nie uderzyć głową o sczerniałe sklepienie z wielkich gotyckich cegieł. Korytarz był czysty, jakby uprzątnięty, a na murach w wyżłobionych rowkach biegły przewody elektryczne.

– Patrzcie, mają tu nawet elektryczność.

– Muszą oświetlać elektrycznością – powiedział Teodor. – Inaczej szybko zabrakłoby im powietrza. Z pewnością działają też tutaj wywietrzniki elektryczne. Czy nie czujecie ruchu powietrza?

Istotnie, coś podobnego do lekkiego powiewu muskało twarze chłopców.

Wkrótce doszli do miejsca, w którym gotycki korytarz przecinał drugi loch. Ten drugi loch był szerszy o metr i miał półkoliste łagodne sklepienie. Teodor uważnie oświetlił go latarką.

– Zbudowali go później od tamtego – powiedział. – On jest w całkiem innym stylu.

– Czy korytarz może mieć jakiś styl? – zaśmiał się Pikolo.

– Wszystko ma swój styl – mruknął Teodor, oglądając w skupieniu jakieś rury biegnące przy ścianie lochu.

– Ciekawe – mruknął – to wygląda zupełnie na rury wodociągowe.

– Albo na instalację centralnego ogrzewania – powiedział Nudys. – Druh czuje, jak tu ciepło?

– Patrzcie, prawdziwy kaloryfer! – krzyknął Kusibaba, biegnąc w głąb korytarza.

Obejrzeli grzejnik i przekonali się, że był ciepły.

– Dranie, mają tu wszystkie instalacje – zauważył Teodor – a patrzcie, jak zamiecione. Czyściej niż na Marszałkowskiej .

– Idziemy tędy, druhu? – zapytał Nudys. – Niech druh patrzy, to jakieś stopy. Oni musieli przejść tędy. Tu są ślady na piasku.

Teodor patrzył z krzywym uśmiechem na trop.

– To są odciski stopy jednego człowieka – powiedział – a tamtych było trzech.

– Jak to, przecież widać wyraźnie, że ślady są różne.

– Nie. Tak wam się tylko zdaje, bo to są odciski stopy kulejącego człowieka, który biegł w dodatku. Patrzcie. Prawa stopa jest odciśnięta dość wyraźnie, a lewa jakby tylko piętą. Ale to są ślady jednego człowieka, a tamtych było trzech – powtórzył.

Zawrócili i poszli przedłużeniem pierwszego gotyckiego korytarza. Nie zrobili jednak dziesięciu kroków, kiedy Teodor dał znak, żeby się zatrzymać.

– Zobaczcie, co tam leży pod ścianą.

Latarka oświetlała jakiś brudnobiały przedmiot. Nudys skoczył naprzód i podniósł go.

– To jakieś papiery.

– Pewnie dokumenty – szepnął Pikolo.

– Nie... to jest zeszyt – powiedział Nudys. – Był wdeptany w ziemię, jest cały zmięty i pobrudzony, ale to jest zeszyt, zwyczajny, szkolny zeszyt do polskiego.

– Pokaż – wyrwał mu Pikolo i obejrzał ciekawie.

Nagle znieruchomiał.

– O Boże – szepnął – jest krew... krew na zeszycie. Całe stronice zlepione krwią.

– Może to Marka zeszyt – bąknął Nudys.

Wszyscy zmartwieli na moment.

– Na pewno Marka, bo skąd by się tutaj wziął jakiś szkolny zeszyt – jęczałPikolo.

– Bzdura – przerwał Teodor. – Marek w czasie porwania nie miał przy sobie zeszytów. Był przecież na rowerze.

– Tu jest jakieś nazwisko na okładce – powiedział Nudys – ale nie mogę odczytać... poświećcie mi. Dwie latarki skierowały swoje światło na zeszyt.

– Je... Jerzy... T... Trupek – odcyfrował z trudem Nudys.

– Trupek, to niemożliwe – zmarszczył brwi Teodor – nie słyszałem nigdy o takim nazwisku. Daj no ten zeszyt. Turpis, nie żaden Trupek – odczytał. – Jerzy Turpis z klasy piątej.

Teodor przeglądał pomału zakrwawione kartki.

– Skąd ja znam to pismo... Skąd ja je znam? – powtarzał zamyślony, jakby do siebie.

– Teodor, Teodor, zobacz! – rozległ się nagle krzyk Pikola.

– Nie wrzeszcz tak, bo nas nakryją – zganił go Teodor. – Zachowujecie się jak na korytarzu szkolnym. Co się stało?

– Patrz, kulka, prawdziwa kulka... Zobacz, co znalazłem.

Pikolo pokazywał błyszczący, mały pocisk od krótkiej broni.

– Chyba rewolwerowa – powiedział Pikolo, wręczając ją Teodorowi.

– Nie, raczej z pistoletu. Kaliber 7 – orzekł Teodor.

– Gdzie ją znalazłeś?

– Tam, na środku korytarza.

– Skąd się tutaj wzięła?

– Mógł ją upuścić któryś z tych typów.

– Upuścić? – pokręcił głową Stasio Kusibaba. – Tak ni stąd, ni zowąd?

– Mogła mu wypaść z kieszeni.

Stasio Kusibaba w milczeniu oglądał ziemię i mury, strzygąc uszami, co wskazywało na intensywną pracę jego mózgu.

– O Boże! – wykrzyknął nagle. – Patrzcie, krew! Pikolo i Nudys dopadli do niego. Stasio Kusibaba pokazał im ciemnoczerwone plamy na żółtym piasku pod murem.

– Ale... co znaczy ta krew – wykrztusił Pikolo – strzelali do kogoś?

– Nie sądzę – powiedział Teodor – nie ma tu nigdzie łusek od wystrzelonych kul. Myślę, że po prostu ci osobnicy, których widzieliście pod kościołem, pobili się tutaj i jeden drugiemu rozwalił nos. Ten pobity – kulejący –

uciekł tamtym, szerokim korytarzem, gdzie są ślady. W czasie walki zgubił zeszyt swojego syna i wypadła mu kulka z kieszeni.

– Ale po co on niósł z sobą ten zeszyt? – zapytał Nudys.

– To pewnie zeszyt jego syna, złodzieje też mają dzieci – odparł Kusibaba.

– No dobrze, ale po co on go tutaj przyniósł? – upierał się Nudys.To rzeczywiście było dziwne. Nikt nie mógł znaleźć wytłumaczenia.

– Dosyć dyskusji – powiedział Teodor. – Ruszamy naprzód.

★

Szli jeszcze może ze dwadzieścia metrów, potem nagle korytarz zakręcił i rozszerzył się w niewielką pieczarę, od której w pięć stron biegły promieniście wąskie i niskie lochy. Każdy z nich u wylotu był oznaczony odpowiednią cyfrą, wymalowaną białą farbą na poczerniałym murze. Cztery spośród tych korytarzy były zupełnie mroczne, w jednym tylko błyszczało światło i słychać było słabe wycie motorka elektrycznego.

Teodor skierował się w jego stronę.

– Tylko bez słowa – szepnął – lada chwila możemy natrafić na bandę.

Pochyleni jeden za drugim przemknęli szybko wąskim korytarzem. Światło przybliżało się coraz bardziej. Raptem tuż przed nosem wyrosła im stalowa krata. Teodor pchnął ją. Trzymała mocno.

– Zamknięta na kłódkę – mruknął. – To jest rodzaj drzwi czy bramy z prętów żelaznych podobnej do tych, które znajdują się w więzieniach albo skarbcach.

Chłopcy ciekawie zajrzeli za kratę. Pomału, w miarę jak wzrok ich przesuwał się po tym, co znajdowało się za kratą, na twarzach ich pojawił się wyraz niesamowitego zdumienia.

Za kratą korytarz wchodził do obszernej izby liczącej na oko jakieś trzydzieści metrów powierzchni. Ze środka sufitu wybiegały łukami gotyckie żebra przechodzące na ścianach w grube filary podpierające sklepienie. Pośrodku znajdował się otwór, z którego zwisała silna elektryczna lampa. Najbardziej jednak zdumiewające było to, co się znajdowało wewnątrz sali. Pod ścianami stały tu rzędem trzy białe skrzynki przypominające chłodnie. Koło nich na białych, metalicznie połyskujących stołach coś żółto błyszczało. Po przeciwnej stronie widać było kilka wąskich szafek, zamkniętych na jakieś specjalne zamki, a w kącie jedną koło drugiej pięć małych kas pancernych. W izbie na materacu w szare i zielone pasy spał jakiś człowiek w czerwonym dresie. Miał niegolony od kilku dni czarny zarost i chrapał nieprzyjemnie przez otwarte usta. Obok niego spał tłusty brodacz z obwiązaną szczęką.

– To on, ten tłusty z bródką, którego widzieliśmy w zaroślach pod murem – szepnął podniecony Nudys. – To pewnie jego pobili tam w korytarzu.

Teodor skinął głową.

– Popatrzcie, ile tu mają lodówek! – zdumiał się Pikolo.

– To nie lodówki, to elektryczne piece.

– Jak Boga kocham, to jakaś kaplica podziemna.

– Kaplica? – zdziwił się Stasio Kusibaba.

– No, mówię ci, kaplica bandytów – powiedział przejęty Pikolo, a krótkie sztywne włosy nad czołem zjeżyły mu się jeszcze bardziej.

– Skąd ci to przyszło do głowy?

– No, zobacz, jakaś święta figura. Cała ze srebra. A koło niej takie różne złote i srebrne serduszka i gwiazdki, no, jak to się nazywa...

– Wota.

– Tak, wota. A tu stoi złoty krzyż. I monstrancja, i kielichy. O raju... ile kielichów! a wszystkie ze złota i srebra. Ta monstrancja ma chyba drogie kamienie, popatrz, jak błyszczą, a najbardziej ten wielki u góry. To pewnie najprawdziwszy brylant.

Ale Stasio Kusibaba już go nie słuchał. Patrzył tam, gdzie wskazywał mu ręką podniecony Nudys.

– Druhu komendancie – sapał – niech druh spojrzy, ile tu zegarków i obrączek, i bransoletek, a wszystkie złote. O tam, na stole, niech druh zobaczy.

– Zobacz, a tam jest złoty groch – zasapał Nudys.

– Złoty groch? – Teodor przybliżył się zdziwiony i spojrzał na stół, który pokazywał mu Nudys. – To nie jest żaden złoty groch – uśmiechnął się, przykładając lornetkę do oczu. – To są złote zęby.

– Złote zęby?

– Tak jest, złote zęby wyrwane pewnie nieboszczykom. Domyślacie się, gdzie jesteśmy – szepnął Teodor, wydostając aparat fotograficzny.

Chłopcy spojrzeli na niego w napięciu.

– Jesteśmy w centralnej melinie złodziejskiej. Słyszałem już o niej dawno. Ale nie myślałem, że kiedykolwiek zobaczę ją na własne oczy – mówił szeptem Teodor. – To jest melina złodziei złota i kosztowności, tak zwanych jubilerów. Jubilerzy chowają tu swoje łupy. Widzicie te elektryczne piece? To są elektryczne tygle do przetapiania złota i srebra. Tam w tych słojach są pewnie kwasy potrzebne do oczyszczania złota od domieszek innych metali. A to, co ci się wydawało kaplicą – zwrócił się do Pikola – to jest po prostu stół tak zwanych świętoszków. Świętoszkami nazywają w języku przestępców złodziei kościelnych. Tutaj, ten drugi stół, to stół złodziei kieszonkowych i mieszkaniowych, a te złote zęby to łup złodziei cmentarnych, czyli hien grobowych. Te hieny nawet w środowisku przestępczym otaczane są pogardą. Zobaczcie, że ich stół znajduje się osobno. W innym kącie.

– A po co oni przetapiają – szepnął Pikolo – czy to nie szkoda? Taka piękna monstrancja, pewnie zabytkowa, albo te pierścienie. Może to jakieś królewskie albo książęce.

– Pewnie, że szkoda – powiedział Teodor – ale złodzieje nie zważają na to. Im jakaś rzecz jest bardziej cenna, zabytkowa i znana, tym trudniej im ją sprzedać. Dlatego muszą ją przetopić albo dać zmienić, żeby nikt nie poznał.

– I przetapiają w tych tyglach? – szepnął Nudys.

– Tak, przetapiają na sztaby – odparł Teodor. – Potem pewnie szmuglują je za granicę albo sprzedają gdzieś na czarnym rynku w kraju. A może robią z nich jakieś własne wyroby jubilerskie i potem sprzedają w sklepach komisowych.

Teodor przerwał, bo człowiek w czerwonym dresie poruszył się na materacach.

Chłopcy zastygli nieruchomo. Ale człowiek w dresie znów zaczął głośno chrapać. Teodor zrobił jeszcze jedno zdjęcie na czas i powiedział, chowając aparat:

– Za długo tu już marudzimy. Kwass na pewno jest trzymany gdzie indziej. Musimy zbadać pozostałe korytarze.

– A jak natrafimy na bandytów? – zapytał Pikolo.

– Będziemy walczyć – odrzekł mężnie Stasio Kusibaba.

– Raczej uciekać – uśmiechnął się Teodor. – Pełnimy służbę wywiadowczą i musimy unikać wszelkich starć. To nie do nas należy.

– A jeśli nie będziemy mieli innego wyjścia?

– Wtedy to co innego – odparł cicho Teodor.

Wycofali się ostrożnie z korytarza. Wrócili aż do miejsca, gdzie lochy rozchodziły się promieniście. Nagle usłyszeli jakieś kroki i stłumioną rozmowę. Teodor dał znak. Skryli się w mroku najbliższego chodnika i przywarli do muru.

Z sąsiedniego lochu wyszedł atletycznie zbudowany człowiek w skórzanej kurcie. Pikolo trącił Nudysa w bok. Nudys potaknął głową. Był to ten sam typ, którego widzieli pod kościołem.

Sapiąc, dźwigał w obu rękach pękaty gamczek. Za nim dreptał chudy, mały człowieczek o zapadłych policzkach.

– Nie denerwuj się, Bosmann – powtarzał, podbiegając do draba w skórzanej kurtce – jak Boga kocham, nie denerwuj się, świerszczyku mój.

– Odejdź, Cherlawy, bo cię rozwalę jak Antosia Turpisa – odburknął basem człowiek w kurcie.

– Czemu się tak denerwujesz?

– Licho mnie bierze, Chryzostomie mój. Myślałem, że mnie wzywają, żebym załatwił Wieńczysława Nieszczególnego. Ten łajdak, Antoś, nic mi nie powiedział. Dopiero kiedy zeszliśmy, zaczął skomleć, że zaszła pomyłka i że zamiast Wieńczysława Nieszczególnego schwytali Hippollita Kwassa. – Bosmann zarechotał szyderczo. – No więc ja go od razu w mordę. Nie znoszę partackiej roboty i kłamstwa. Brzydzę się kłamstwem.

To mówiąc, zatrzymał się pod lampą pośrodku pieczary, skąd rozchodziły się promieniście korytarze.

– Potrzymaj – warknął do Cherlawego, wręczając mu garnek – z tego zdenerwowania zapomniałem o rękawiczkach.

Wydostał z kieszeni czarne rękawiczki, obejrzał je pod światłem, sięgnął w zanadrze, wyjął małą butelkę i białą chusteczkę, skropił rękawiczki płynem z butelki, a następnie starannie począł je przecierać chusteczką. Zapach benzyny rozszedł się po podziemiu.

– Stale czyszczę i wciąż brudne – zamruczał wyraźnie przygnębiony. – To Turpis tak je zapaprał. Miał brudną, niedomytą i niedogoloną szczękę...

Wreszcie włożył rękawiczki na ręce, obciągając starannie każdy palec osobno i sapiąc przy tym głośno. Potem przez dłuższą chwilę gimnastykował sobie palce jak wytrawny pianista przed grą.

Cherlawy śledził jego ruchy z widocznym strachem.

– Trudno dziś kogoś uderzyć, żeby się nie pobrudzić – ciągnął rozżalony Bosmann. – Ten brak czystości cielesnej przygnębia mnie, Cherlawy. I brak uczciwości w branży. Co do mnie, jestem uczciwy. Ty, Cherlawy, znasz moją uczciwość wybitną. A tu jeszcze ten Turpis...

– Tak jest, świerszczyku mój – jęknął Cherlawy – zaszła pożałowania godna pomyłka.

– I właśnie dostał za tę pomyłkę w zęby – zagrzmiał Bosmann. – A w ogóle, co za pomysł sprowadzać tu detektywa i kazać mnie, Bosmannowi, karmić go grochówką.

– Jak Boga kocham, to nie moja wina. Szef kazał. Mamy karmić łobuza po kolei.

– Dokąd będzie się tu trzymać tego darmozjada?

– Szef chce, żeby coś beknął.

– Tu nie jest miejsce na trzymanie takich facetów – pieklił się Bosmann – tu się pracuje. Jak szef chciał się bawić w spowiednika, mógł Kwassa umieścić u siebie w willi. A w ogóle, co mnie do tego. To nie moja branża, ja pracuję w złocie. I po drugie, miałem urlop. Rozumiesz, urlop. Mnie się też należy odpoczynek, nie? Do sanatorium miałem pojechać się leczyć, bo podupadłem na zdrowiu w tych lochach.

– Musisz porozmawiać z Kwassem. Szef cię wezwał, żebyś z nim porozmawiał, bo nikt z nim sobie nie może dać rady.

– Po co rozmawiać? Co za metody? W czapę go – charczał zachrypłym głosem Bosmann.

– Nie można. Z Kwassem trzeba grzecznie. Szef wie, co robi. Kwass jest potrzebny, bo niszczy konkurencję. Gdyby nie Kwass, Wieńczysław Nieszczególny opanowałby całą Warszawę i wygryzłby nas na prowincję. Ale to jeszcze nie wszystko, świerszczyku mój. Hippollit Kwass ma stosunki. Hippollit Kwass ma stosunki, plecy i wiązania. Wiązania ma, świerszczyku mój, a poza tym i nade wszystko, świerszczyku mój, Kwass ma wiadomości encyklopedyczne. Gdyby nasz szef miał ćwierć tych wiadomości encyklopedycznych, które zamelinował w swoim mózgu Hippollit Kwass, bylibyśmy już dawno milionerami we Frisco albo przynajmniej w Caracas, nie mówiąc już o Bogocie, świerszczyku mój.

– Mówisz, że Hippollit Kwass ma wiadomości encyklopedyczne? – ożywił się Bosmann.

– Tak jest, świerszczyku mój. On ma wiadomości encyklopedyczne, i to jest powód, dla którego szef chce, żebyś z nim rozmawiał. Musisz mu uszczknąć odrobinę tych wiadomości encyklopedycznych.

– Uszczknąć?

– Przynajmniej na literę A.

– Przynajmniej na literę A – zamruczał Bosmann. – A jeśli nie uda mi się na literę A?

– To przynajmniej na literę B.

– Na literę B... A jeśli?...

– To nieważne... bylebyś coś uszczknął. Wiadomości encyklopedyczne Hippollita Kwassa są tak obszerne, że nawet uszczknięcie ich na jedną, jedyną literę dałoby nam niesłychanie bogate wiadomości, bezcenne wiadomości fachowe. Tak jest, świerszczyku mój.

– No dobrze – zgodził się z rezygnacją Bosmann. – A... a dlaczego wysyłacie mnie do niego z grochówką?

– Jest to posunięcie polityczne, świerszczyku mój. Żeby ujarzmić zwierzę, treser zbliża się do niego z batem w jednej ręce, a z żarciem w drugiej.

Dlatego pomyśleliśmy, że dobrze będzie zbliżyć się do Hippollita Kwassaz garnczkiem grochówki.

– Dlaczego grochówki?

– Grochówka jest ulubioną zupą Hippollita Kwassa. A poza tym, świerszczyku mój – zniżył głos Cherlawy – grochówka ta jest zaprawiona pastylkami veracoco. Czy słyszałeś o pastylkach veracoco?

– Nie. Co to takiego?

– Jest to najnowszy specyfik stosowany w chorobach nerwowych i psychicznych, zwłaszcza w stanach apatii. Powoduje on u leczonego początkowo przypływ humoru, a następnie konieczność mówienia, zwierzania się, wywnętrzania i wynurzania. Facet nie może się powstrzymać i mówi wszystko, co wie.Trwa to około dwu godzin, po czym facet zasypia.

– Ależ to jest niebezpieczne – Bosmann zbladł. – Skąd to macie?

– Szef przywiózł z Ameryki. Podczas swej ostatniej podróży do Stanów udało mu się buchnąć na Czterdziestej Piątej Avenue w New Yorku wprost z hurtowni aptecznej.

– To jest piekielnie niebezpieczne – powtórzył przerażony Bosmann. – A jeśli szef wsypie mnie albo tobie tego werakuku do zupy albo do kieliszka?...

– Veracoco, mówi się veracoco, świerszczyku mój...

– A... a nie daj Boże, jak się dostanie w ręce milicji, prokuratorów i sądówi w ogóle, że tak powiem władz!

– Nie dostanie się.

– Któż to może zaręczyć! – jęknął Bosmann.

– Szef wszystko przewidział. Na wypadek wpadki pastylki veracoco znikają.

– W jaki sposób?

– Szef nosi w kamizelce wygłodzoną mysz. Jest to mysz tresowana. W razie niebezpieczeństwa szef przekłada tylko pastylki z jednej kieszeni do drugiej i mysz zjada je natychmiast. A co mysz będzie potem mówić, to nikogo nie obchodzi. Czy nie mam racji, świerszczyku mój?

– Istotnie, zwierzenia myszy już nie są groźne. Ale dlaczego podajecie to werakuku w grochówce?

– Ma ono silny, charakterystyczny zapach i tylko grochówka skutecznie go wchłania.

– Rozumiem. Ale dlaczego, mając tak silny i wspaniały środek, do dziś nie zdołaliście skłonić Hippollita Kwassa do chociażby częściowych encyklopedycznych wynurzeń?

– Rzecz w tym, świerszczyku mój – westchnął Cherlawy – że dotychczas nikt nie zdołał, mimo ponawianych ciągle prób i mimo zaaplikowania mu ścisłej diety, nakłonić Hippollita Kwassa do przełknięcia grochówki.

– Zwęszył coś – mruknął Bosmann.

– Chyba tak, bo wciąż z podziwu godną systematycznością po wręczeniumu garnczka z grochówką oblewa nią strażnika, a garnczek zakłada na głowę.

– Sobie?

– Nie. Strażnikowi.

– To rzeczywiście przykre – zauważył Bosmann. – I chcecie, żebym ja teraz spróbował?

– Próbowaliśmy wszyscy po kolei, świerszczyku mój, teraz na ciebie kolej – zaskrzeczał Cherlawy i uśmiechnął się tak wyraziście, że jego długi zakrzywiony nos znów dotknął brody. – A teraz w drogę, bo grochówka wystygnie i wtedy Hippollit Kwass już na pewno jej nie tknie. On jest bardzo wybredny i grymaśny.

Bosmann wymruczał pod nosem przekleństwo, westchnął, obnażył sobie rękę aż do ramienia, podwijając rękaw kombinezonu i koszuli, po czym przez chwilę macał sobie w skupieniu muskuły, które jak olbrzymie węzły piętrzyły mu się pod skórą.

Cherlawy popatrzył z respektem na tę próbną manifestację siły.

– Chodź no, Cherlawy – mruknął Bosmann, chwytając towarzysza za rękę – stań no tu, przede mną, i daj ten garnek!

– Co chcesz robić, świerszczyku mój? – przeraził się Cherlawy, wręczając mu zupę.

– Zrobię małą próbę. Chcę się przekonać, czy da się Kwassowi wlać tę grochówkę do gardła.

To mówiąc, jednym ciosem zwalił Cherlawego na ziemię, usiadł na nim okrakiem, po czym jedną rękę zacisnął na jego szczękach, a drugą sięgnął po garnek z grochówką.

Pod wpływem fachowego uścisku Cherlawy otworzył usta i zaczął nimi poruszać jak ryba. Bosmann przechylił garnek z grochówką, lecz długi, zgięty na dół nos Cherlawego zasłaniający usta uniemożliwiał karmienie.

Bosmann zarechotał basowo, odstawił grochówkę i puścił Cherlawego, który zerwał się z piskiem.

– Gdyby nie twoje nosisko, chlałbyś tę zupkę jak osesek.

– Daj spokój... daj spokój, świerszczyku mój – dyszał ledwie żywy Cherlawy – tak się nie robi z kolegą.

– To przecież tylko na niby – pogłaskał go po wystających łopatkach Bosmann – żartowałem tylko, Chryzostomie mój.

– Ładne żarty... Ładne żarty, świerszczyku mój, udusiłbyś mnie na śmierć.

– Ale teraz wiesz, w jaki sposób nakarmię detektywa Kwassa – zarechotał Bosmann. – Bierz garnek. Idziemy.

Podniósł się ciężko z ziemi, spuścił rękawy, włożył skórzaną kurtkę, przeczyścił benzyną czarne rękawiczki na rękach i znikł w trzecim korytarzu. Za nim, trzymając się za gardło, pokuśtykał drobnym, nierównym kroczkiem Cherlawy z garnkiem w ręce.

Został po nich tylko drażniący odór benzyny zmieszany z zapachem grochówki.

Rozdział XI

Zamach Teodora i bohaterski Pikolo. Detektyw Kwass dziękuje, lecz jest głodny

Teodor zacisnął zęby. Jego oczy świeciły dziwnym blaskiem.

– Chłopaki – szepnął – detektyw Kwass jest w straszliwym niebezpieczeństwie.

– Veracoco – szepnęli.

– Veracoco – powiedział Teodor. – W żadnym wypadku nie możemy dopuścić, by nakarmiono detektywa Kwassa tą zupą.

– Ale co robić? – szepnął Nudys.

– Nie mamy żadnej broni – dodał Kusibaba.

– Nie zdążymy nawet zaalarmować milicji – jęknął Pikolo.

Teodor patrzył zamyślony w ziemię.

– Musimy wykombinować jakieś wyjście, i to natychmiast.

– Zniszczyć przewody – zadyszał Kusibaba – zgaśnie światło i nie będą mogli po ciemku nakarmić detektywa Kwassa, nawet jeśli do niego trafią.

– Nie... mogą mieć przy sobie zapasowe światło – mruknął Teodor.

– Pobiec za nimi i próbować złapać ich na lasso. Ćwiczyliśmy się przecież w rzutach – zaproponował Nudys.

– Nie bądź dzieckiem – skrzywił się Teodor. – Widziałeś muskuły Bosmanna? Nawet gdy go złapiesz, nie potrafisz utrzymać. Zresztą on rozluźni każdy zacisk. Tu trzeba użyć jakiegoś fortelu.

Umilkł i tylko jego pięści zaciskały się nerwowo.

– Słuchaj, Pikolo – powiedział nagle – nie mamy czasu zastanawiać się dłużej. Drogocenne sekundy upływają. Zadziałamy tak: puścisz się natychmiast za Bosmannem. Dopędzisz go, a gdy będziesz od niego dziesięć metrów, rzucisz w niego tą konserwą rybną – Teodor pośpiesznie wyjął z plecaka puszkę skumbrii w tomacie. – Kiedy Bosmann obróci się, zaczniesz uciekać w naszą stronę, rozumiesz.

– Tak – zadzwonił zębami Pikolo.

– Boisz się? – Teodor spojrzał na niego uważnie.

– Boję się – przyznał uczciwie Pikolo.

– Nie potrafisz wykonać zadania?

– Boję się, ale potrafię – odpowiedział Pikolo.

– Tylko mierz celnie – dodał Teodor. – I pamiętaj, wszystko musi być załatwione w ciszy. Nie wiadomo, ilu tu jest jeszcze tych bandziorów.

– Tak jest – szepnął Pikolo.

– A więc szybko, biegiem. Wszystko zależy od ciebie.

Pikolo pobiegł.

Teodor potoczył dookoła niespokojnym wzrokiem. Pod murem leżało kilka żelaznych rurek, pozostałość po robotach instalacyjnych. Teodor uzbroił w nie chłopaków.

– Staniecie po obu stronach korytarza w niszach – powiedział, wpychając ich do wnęk.

Następnie zdjął z pleców Kusibaby plecak i położył go na środku chodnika. Zapalił kieszonkową latarkę i umieścił ją na wierzchu plecaka. Kusibaba i Nudys patrzyli zdziwieni na te wszystkie czynności.

– Po co to robisz?

– To na wabia – powiedział Teodor. – Nie mogę obmyślić nic lepszego, muszę improwizować. Kiedy Bosmann będzie gonił Pikola, na drodze wyrośnie mu nagle dziwny plecak ze świecącą latarką. Co wtedy zrobi Bosmann? Albo zatrzyma się i pochyli, żeby obejrzeć dziwne przedmioty, albo w najgorszym razie zwolni kroku, zawaha się. Wtedy musimy go ogłuszyć i powalić. I odebrać mu pistolet.

– A co zrobimy z Chryzostomem Cherlawym?

– Chryzostom Cherlawy biegnie wolniej od Bosmanna, zresztą teraz boli go noga i utyka, przybiegnie więc dopiero wtedy, gdy Bosmann będzie już ogłuszony. Damy sobie z nim jakoś radę. Będziemy już mieli pistolet Bosmanna.

– A jeśli Cherlawy będzie krzyczał i zaalarmuje pozostałych?

– Trudno. Wycofamy się wtedy w głąb trzeciego korytarza. Oswobodzimy Kwassa i będziemy się bronić. O siódmej Pirydion ma zaalarmować kapitana Trepkę z Komendy Głównej. Trepka natychmiast rozpocznie akcję. Wytrzymamy jakoś do tego czasu.

Teodor urwał, bo dały się słyszeć pośpieszne kroki. To biegł Pikolo, co sił przebierając swymi drobnymi odnóżami. Kilka kroków za nim sadził ciężkimi susami Bosmann. Pikolo przeskoczył plecak i uciekał dalej.

Bosmann był tak wściekły, że zdawało się, iż nie zauważy plecaka.

Chłopcom serca zamarły w piersiach. Jeśli przebiegnie w tym tempie, szansę trafienia go będą nikłe. Ale zacietrzewienie Bosmanna miało swoją dobrą stronę. Olbrzym nie zauważył w ogóle plecaka na chodniku i potknął się o niego fatalnie. To wystarczyło. Z dwu stron spadły na niego ciosy. Zachwiał się i runął nieprzytomny na ziemię. Nie zdążył wydać nawet jęku.

Nie było ani chwili do stracenia. Z daleka zbliżał się już Chryzostom Cherlawy z kociołkiem grochówki w ręku.

– Wiązać – rzucił chłopcom Teodor.

Podczas gdy Kusibaba i Nudys pętali sznurami olbrzyma, Teodor obszukiwał mu pośpiesznie kieszenie, znalazł pęk kluczy, portfel i to, o co mu najbardziej w tym momencie chodziło, pistolet, zapasowy magazynek i kilkanaście sztuk pocisków w kieszeni.

Porwał błyskawicznie broń i wymierzył w nadbiegającego bandytę.

Chryzostom Cherlawy zatrzymał się i zaczął wzywać pomocy. Na szczęście od brutalnego uścisku Bosmanna miał tak zmaltretowane gardło, że mógł wydawać zaledwie piski słabe i niegroźne.

Chłopcy doskoczyli do niego.

– Ręce do góry – syknął Teodor – i zamknij się!

Chryzostom Cherlawy podniósł drżące ręce do góry i przestał krzyczeć. Raz po raz rzucał tylko pełne strachu spojrzenia na powalonego i związanego Bosmanna.

– Skrępować typka! – rozkazał Teodor. Chłopcy pośpiesznie wypełnili rozkaz.

– Nogi też?

– Nie, zabierzemy go z sobą. Tylko ręce. I zostawcie kawał liny do trzymania.

Z drugiej strony korytarza wracał zdyszany Pikolo.

– Brawo, doskonale się spisałeś, Pikolo – powiedział Teodor. – Bierz garnek i idziemy.

★

W minutę później mała ekipa maszerowała już wąskim korytarzem. Na czele szedł Teodor z latarką i z pistoletem w ręce, za nim Nudys, trzymając na linie związanego jeńca, za jeńcem szedł Stasio Kusibaba, prowiantowy zastępu z wypchanym plecakiem, a na końcu mały Pikolo z wielkim garnkiem grochówki.

Kiedy uszli może sto metrów, po prawej stronie ukazały się w murze drzwi z żelaznych prętów.

Teodor zatrzymał się i zajrzał do środka. Na twarzy zajaśniał mu uśmiech ulgi.

– Jesteśmy na miejscu – szepnął – to on.

– Detektyw Kwass! – wykrzyknęli chłopcy.

Podbiegli do okratowanych drzwi. Z początku nic nie można było zobaczyć. Izba była nieoświetlona, tylko nad drzwiami tliła się mała żarówka. Chłopcy skierowali w głąb snop światła z kieszonkowych latarek.

W małej, nisko sklepionej piwniczce ujrzeli jakiś ciemny kształt majaczący na materacu rozłożonym na ziemi.

– Druh myśli, że to on? – szepnął Nudys.

Zamiast odpowiedzieć, Teodor pokazał głową na Chryzostoma Cherlawego. Bandyta zdradzał wyraźny niepokój. Patrzył to na chłopców, to na postać śpiącą w piwniczce i mrugał nerwowo bezrzęsymi oczyma.

– Panie Hippollicie! – zawołał Teodor.

Postać zwlekła się z materaca i siadła, otulając się szczelnie kocem.

– Panie Hippollicie – powtórzył Teodor – przejęliśmy wiadomość i przyszliśmy uwolnić pana.

– Kim jesteś, chłopcze? – zapytał słabym głosem detektyw Kwass.

– Nazywam się Teodor.

– Teodor? – detektyw Kwass zerwał się z materaca. – Teodor – powtórzył zdziwiony. – Więc tak wygląda Teodor.

– Pan mnie zna?

Detektyw Kwass zaśmiał się swoim diabelskim śmiechem.

– Nie byłbym detektywem Kwassem, gdybym nie słyszał o tobie, mój chłopcze. Mieszkasz... Nie, nie powiem tego przy tym łotrzyku – obrócił siędo Chryzostoma Cherlawego. – Jak to się stało, że ty... nie, to... niesamowite... wracasz mi życie, mój chłopcze – detektyw Kwass rzucił w kąt koc i patrzył na Teodora rozpromieniony. – Czekaj no, chłopcze... może jesteś tak genialny, że zdobyłeś także klucz od tej klatki.

– Zdobyłem – Teodor wydobył pęk kluczy z kieszeni.

– Mój chłopcze, jestem pełen uznania dla ciebie – powiedział detektyw Kwass. – Rzadko kiedy podziwiam kogoś, lecz ty zasługujesz na najwyższy podziw...

Ale wracając do spraw praktycznych, czy nie masz czegoś do zjedzenia, mój chłopcze. Te dranie głodziły mnie zgoła niesamowicie.

– Najpierw wypuścimy pana.

Teodor przymierzał klucze do zamka.

– Klucz o czterech zębach większych i trzech zębach mniejszych – wyjaśnił detektyw Kwass – o ten, tak jest, mój chłopcze.

W chwilę później detektyw Kwass wybiegł ze swego więzienia i uściskał serdecznie chłopców. Nagle wzrok jego padł na garnek grochówki trzymany przez Pikola.

– I o tym pomyśleliście, zuchy. Brawo! – z radosnym okrzykiem wyrwał chłopcu naczynie z rąk.

Biedak musiał być straszliwie wygłodniały.

– Co pan robi? Stać! – krzyknął przerażony Teodor. Niech pan nie rusza tej zupy! To jest zupa zaprawiona pastylkami veracoco...

Ale detektyw nie słuchał. Z nosem utkwionym w garnku żarłocznie i głośno siorbał ostygłą zupę.

Teodor i chłopcy rzucili się na niego i próbowali odebrać mu garnczek. Detektyw jednak przypiął się do niego tak łakomie, że Teodor musiał użyć chwytu dżudżitsu. Dopiero wtedy osłabiony głodówką detektyw dał za wygraną.

Przerażony i zaskoczony patrzał na chłopców, dysząc ciężko.

– Dlaczego mnie pobiliście?... Co to znaczy?... Dlaczego nie dajecie mi zjeść zupy?... Jestem taki głodny.

– Pan nie powinien jeść tej zupy – zasapał Teodor – panu nie wolno jeść tej zupy. To nie jest nasza zupa.

Odebraliśmy ją Bosmannowi. Bosmann miał pana nakarmić tą zupą i przebadać.

– Bosmannowi! – wykrzyknął Kwass. – Bosmann... Teofil Bosmann jest tutaj!

Na jego czole pojawiły się kropelki potu, a przedramię pokryło się gęsią skórką.

– Pan się spocił...

– To na myśl, przyjacielu, że Bosmann miał mnie karmić. To najokrutniejsza i najbrutalniejsza bestia, jaką zna świat kryminalny. Gdzie on jest?

– Leży ogłuszony, związany i umieszczony w skrzyni na odpadki, mniej więcej w połowie trzeciego korytarza.

Detektyw Kwass odetchnął, ale przez chwilę jeszcze wachlował się chusteczką.

– Boję się o pana, panie Hippollicie – powiedział zaniepokojony Teodor.

– Bo pan się przypiął od razu do tej zupy, a ona jest zaprawiona tabletkam iveracoco.

– Veracoco? – uniósł do góry brwi Kwass.

– Pan zna ten specyfik?

– Veracoco, Jezus Maria! – powtórzył zbielałymi ustami detektyw. – Przyszliście w samą porę, chłopcy. Dotąd się opierałem przyjmowaniu niepewnych pokarmów, dziś jednak byłem tak wygłodniały i osłabiony, że na pewno byłbym jadł tę zupę.

– Nawet gdyby pan nie chciał, Teofil Bosmann wmusiłby w pana – powiedział Teodor. – On ma jeden straszliwy chwyt za gardło. Usta się wtedy otwierają same i ofiara musi przełykać.

– Znam ten chwyt... słyszałem o tym chwycie – szepnął detektyw Kwass.

– Dlatego na samo wspomnienie o nim, jak mogliście zauważyć, przyjaciele, dostałem gęsiej skórki po raz pierwszy od dwudziestu lat.

– A czy pan nie za dużo zjadł tej zupy? – Pikolo oglądał z przestrachem ubytek grochówki w garnczku.

– Na szczęście jeszcze nie – sapał detektyw Kwass. Veracoco w roztworze grochówkowym działa dopiero po siedmiu łyżkach, ja zjadłem pięć. Zagraża mi tylko pewna gadatliwość, którą postaram się poskromić. Tak, chłopcy, bo my tu gadu... gadu... a czeka nas jeszcze zasadnicze zadanie. Każda chwila jest droga. Musimy uwolnić Marka Piegusa. Przyrzekłem to sobie, rodzicom i przyjaciołom tego nieszczęśliwego chłopca. Sądzę, że powinniśmy odbyć małą naradę.

ROZDZIAŁ XII

Zarys działalności szajki Alberta Flasza. Jak nakarmiono Chryzostoma Cherlawego i co z tego wynikło? Los Marka

Więc pan jest pewien, panie Hippollicie – powiedział Teodor – że Marek Piegus został schwytany przez tych samych ludzi co pan, to znaczy przez bandę Alberta Flasza?

– Co do tego nie może być żadnych wątpliwości. Sprawa wygląda dla mnie zupełnie jasno. Wiem już wszystko, prócz miejsca pobytu porwanego chłopca. Domyślasz się chyba, jak zaczęła się ta sprawa.

– To nie jest trudno zgadnąć – powiedział Teodor. – Banda Alberta Flasza posługiwała się przy przenoszeniu zrabowanych kosztowności do meliny chłopcami z tornistrami. Tornistry tych chłopców miały podwójne dno, a raczej skrytkę na dnie tornistra, gdzie chowano biżuterię. Poza tym tornistry były normalnie wyładowane książkami i zeszytami.

– Tak jest – wtrącił detektyw Kwass – dlatego przez długi czas udawało się Albertowi Flaszowi bezpiecznie organizować w nich transport. Chłopców z tornistrami używanych do transportu nazywano w bandzie „osiołkami". Jednym z takich osiołków był niejaki Wacio, syn członka bandy o przezwisku „Cherlawy".

– Tego, którego mamy tu związanego – przerwał Pikolo.

– Tego samego – skinął głową detektyw Kwass. – Ale patrzcie, co się działo dalej. Żaba pożera komara, ale sama z kolei pada łupem żmii. Albert Flasz też natrafił na niebezpiecznego wroga. Stał się nim Wieńczysław Nieszczególny, jeden z najinteligentniejszych i najniebezpieczniejszych przestępców, jacy grasują w naszej stolicy. Od pewnego czasu Albert Flasz był alarmowany o ciągle powtarzających się napadach na osiołków. Napadów dokonywał Wieńczysław Nieszczególny, który przejrzawszy tajemnicę osiołków, zaczął żerować na działalności przestępczej bandy. Była to praca bardzo opłacalna, stosunkowo bezpieczna. Albert Flasz próbował organizować zasadzki na Wieńczysława Nieszczególnego, wyznaczył nawet nagrodę za jego głowę, ale Wieńczysław Nieszczególny był nieuchwytny.

Jednego dnia Wieńczysław Nieszczególny śledził syna Cherlawego, by w odpowiedniej chwili odebrać mu tornister. Wacio zwęszył niebezpieczeństwo i zaczął uciekać. Wpadł ledwo żywy na skwer Worcella. Myślał, że zmylił trop, i odsapnął trochę na ławce. Na tej samej, na której siedział Marek Piegus. Marek Piegus miał taki sam tornister, jak Wacio. Kiedy spłoszony Wacio znów poderwał się do ucieczki, zamienił ze zdenerwowania tornistry. Swój zostawił na ławce, a zabrał Markowy. Marek też nie zauważył tej zamiany. Zauważyły ją jednak od razu bystre oczy Wieńczysława Nieszczególnego, który obserwował całą scenę ukryty w pobliskich zaroślach.

Stąd nagłe zainteresowanie Wieńczysława Nieszczególnego Markiem Piegusem. Złodziej ruszył w jego ślady. Chciał mu odebrać tornister. Gonił go. Potem, na ulicy, gdy to już nie było możliwe, śledził aż do samego domu, żeby się dowiedzieć, gdzie Marek mieszka.

W nocy zakradł się do mieszkania państwa Piegusów, otworzył skrytkę w tornistrze i zabrał z niej kosztowności.

W tym momencie powrócił pan Anatol Surma, zauważył jakiś cień wyskakujący przez okno... i wszczął alarm, niestety, zlekceważony przez milicję.

Następnego dnia Chryzostom Cherlawy zorientował się, że Wacio zamienił tornistry, i postanowił odzyskać tornister z biżuterią. W tornistrze Marka Piegusa znalazł jego dzienniczek, z którego dowiedział się, do jakiej szkoły chodzi Marek i jak się nazywa. Następnego dnia zaczekał na chłopca pod szkołą i odebrał mu tornister. Wyobraźcie sobie, jakie jednak musiało być jego rozczarowanie, kiedy otworzywszy skrytkę, przekonał się, że zniknęły z niej wszystkie kosztowności... Co, stary, wściekłeś się? – detektyw Kwass mrugnął okiem do siedzącego ponuro przestępcy.

Chryzostom Cherlawy obrzucił go lisim spojrzeniem i milczał ze zwieszonym nosem.

– Nie chcesz mówić, co? Zapomniałeś języka w gębie czy przetrawiasz stare grzeszki? – detektyw Kwass pociągnął niecierpliwie za sznur. – Masz czas, zdążysz je jeszcze przetrawić w więzieniu...

– Zacięta bestia! – mruknął Teodor. – Nie wygląda na takiego.

Detektyw Kwass zagapił się gdzieś w bok, nagle oczy mu się zaświeciły. Walnął się w czoło.

– Ale z nas cepy, mój chłopcze. Zaraz rozwiążemy draniowi język. Będzie śpiewał aż miło. Że też o tym nie pomyśleliśmy.

To mówiąc, detektyw Kwass porwał rondel z grochówką.

– Co pan chce zrobić? – zapytał Teodor.

– Dam draniowi grochówki – zasapał Kwass. – Jeśli to prawda, co mówiłeś, mój chłopcze, że do tej zupy dodano veracoco, drań powinien śpiewać... powinien śpiewać.

Sapiąc z podniecenia, detektyw Kwass zbliżył się do siedzącego opryszka.

– Skosztuj no, ptaszku, tej zupki... Zgęstniała już wprawdzie trochę, ale zrobisz to dla mnie, przyjacielu. Opryszek zerwał się na równe nogi.

Jego oczy pełne były przerażenia.

– No, no, bratku, bez kaprysów, wyglądasz dosyć chuderlawo i dobra zupka ci pójdzie na zdrowie – zachęcał go detektyw Kwass, mieszając zupę łyżką. – Nie chcesz?

– Mam wrzód żołądka – jęknął Chryzostom Cherlawy – mam nadkwasotę, nieżyt.

– Nic mnie to nie wzrusza, musisz skosztować tej zupki – zasapał detektyw. – Chyba że wyśpiewasz od razu, gdzie jest Marek Piegus.

– Nie wiem, nic nie wiem – bełkotał opryszek.

– A więc, sam widzisz, że bez zupki nie damy rady. Jesteś zbyt zatwardziały, przyjacielu.

– On chce zyskać na czasie – powiedział Teodor. Niech pan go szybko karmi. Musimy się pośpieszyć, bo zaraz nadejdą pozostali bandyci.

– Jedz – detektyw podsunął opryszkowi łyżkę.

– Nie chcę – Chryzostom Cherlawy odepchnął ją nosem.

– Nie chcesz, to trudno, chodźcie no chłopcy, potrzymajcie rondel, muszę inaczej rozruszać tego niejadka. Ja mam sposób na apetyt, przyjacielu... – to mówiąc, rozpiął opryszkowi kołnierzyk od koszuli i zaczął go delikatnie łaskotać pod brodą.

Chryzostom Cherlawy zaśmiał się najpierw cichutko i piskliwie jak dziewczyna, a potem zaczął chichotać przeraźliwie, wijąc się jak piskorz.

Chłopcy patrzyli oniemiali na detektywa. Tymczasem detektyw spokojnie łaskotał jeszcze przez chwilę opryszka wskazującym palcem, po czym przerwał czynność i zapytał, czy chce zupy. Kiedy opryszek milczał, detektyw znów rozpoczął łaskotanie. Lecz teraz wystarczyło tylko dotknięcie palca i Cherlawy wykrzyknął:

– Nie... tylko nie to!

– Zjesz?

– Zjem.

– No to jazda! – Kwass rozwiązał mu ręce.

Chryzostom Cherlawy porwał rondel i zaczął przełykać ze wstrętem zgęstniałą papkę. Raz po raz otrząsał się z obrzydzenia, pocił się jak mysz w potrzasku, ale jadł pośpiesznie.

Hippollit Kwass i chłopcy obserwowali go uważnie.

– Nie wie pan, jak to szybko działa? – zapytał Teodor.

– Dosyć szybko – odparł detektyw. – O ile dawka była wystarczająca, to znaczy dwie pastylki, pierwsze objawy powinny wystąpić już za pięć minut. Być może wystąpią nawet szybciej, bo ta dawka przeznaczona była dla mnie. Dla Cherlawego wystarczyłaby jedna pastylka.

Tymczasem opryszek skończył już posiłek i trzymając się za usta i żołądek kiwał się w kącie.

Detektyw Kwass obserwował go z niepokojem.

– Tylko bez kawałów, przyjacielu.

Zbolały wyraz twarzy Chryzostoma Cherlawego świadczył jednak wymownie, że grożą komplikacje. W tym stanie rzeczy detektyw Kwass szybko zdobył się na decyzję.

– Położyć go – powiedział do chłopców – i robić natychmiast masaż brzucha. Czy macie może cytrynę?

– Jest w plecaku – odparł Teodor i dał znak Kusibabie.

Stasio Kusibaba wręczył detektywowi cytrynę. Detektyw pośpiesznie nadgryzł kawałek i wprawnym ruchem wcisnął opryszkowi solidną dawkę soku do rozwartych ust.

Energiczne zabiegi musiały odnieść swój zbawienny skutek, albowiem Chryzostom Cherlawy siadł na ziemi i zaczął uśmiechać się niezbyt mądrze, ale za to zdrowo.

Na jego bladej, zwiędłej twarzy pojawił się rumieniec, a zmarszczki jakby wygładziły się. Uśmiechał się coraz szerzej, jego obwisły nos niemal dotykał już brody. Nagle zaczął mrugać oczami do chłopców, wreszcie walnął detektywa Kwassa po łopatkach.

– Veracoco działa – szepnął Teodor, nie spuszczając z opryszka oczu. Tymczasem Chryzostom Cherlawy wydał głośny chichot.

– Alem się bał – zaśmiał się, chowając sobie twarz gdzieś pod pachę. – Czegom się bał? Nie miałem się czego bać, no nie, świerszczyku mój. Czy to my się nie znamy, co? – chciał objąć Kwassa ramieniem. – Wszyscy swoi. Pan mówi, że na mnie to działa. Wcale nie działa, panie. Wy myślicie, że ja jestem jakiś cep. He, he, nie wiecie, kto ja jestem. Być może, wyglądam nieco, że tak powiem, szczupło, świerszczyku mój, ale to z tego, że za dużo myślę, to z nerwów, panowie. Bo człowiek ma różne zmartwienia. Zmartwienia się ma, wiesz, świerszczyku mój. Jak można nie chudnąć ze zmartwienia, kiedy uczciwości na świecie nie ma. Do tego doszło, że złodziej złodziejowi kradnie, czego nie było od początku świata w naszym fachu, dopóki się nie zjawił ten łobuz Wieńczysław Nieszczególny. Jak może nasz fach prosperować i jaką mają przyszłość przed sobą nasze dzieci, kiedy niemoralność w nasze zawodowe szeregi się wkradła, świerszczyku mój.

Chryzostom Cherlawy rozgadał się na dobre. Początkowo Teodor i Hippollit Kwass obawiali się, żeby wywnętrzenia opryszka nie miały charakteru zbyt ogólnego lub żeby nie dotyczyły rzeczy już znanych bądź niemających znaczenia. Jednak sprawa kradzieży biżuterii z tornistra Wacia musiała najbardziej boleć Cherlawego, bo z miejsca zaczął gadać na ten temat. Przez kilka minut zasypywał najgorszymi przekleństwami Wieńczysława Nieszczególnego, wzywając Hippollita

Kwassa, Teodora i wszystkich innych chłopców po kolei na świadków swojej krzywdy i kategorycznie domagając się od nich współczucia.

– Ile przez to dla mnie zgryzoty, świerszczyku mój. Zrozum tylko – tornistry zamienione i ten łobuz nasz szef, Albert Flasz, może sobie pomyśleć, że to ja zrobiłem jakiś szwindel z tą biżuterią. Całą noc nie śpię, świerszczyku mój, rano biegnę do szkoły do tego szczeniaka, małego Piegusa, znaczy się, odbieram mu tornister, myślę, że wszystko załatwione, wycieram pot z czoła, oddycham, zaglądam do środka, bebeszę skrytkę i wyobraź sobie, świerszczyku mój, co za cios – kosztowności nie ma. Zwaliło mnie wprost z nóg! Upadłem na podłogę i leżałem tak około godziny bez ruchu, powalony tym ciosem. Dopiero po godzinie się podniosłem, bo usłyszałem, że ktoś dzwoni. Przyszli ludzie od szefa. Ze strachu znów padłem i, co gorsza, przyrosłem do podłogi, tak że siłą musieli mnie odrywać. Zęby mi dzwoniły i miałem gęsią skórkę jak gęś, której urzynają głowę.

Nie wiem dokładnie, co się dalej stało, świerszczyku mój, gdyż ledwie przyprowadzono mnie przed oblicze Alberta Flasza, padłem znów na ziemię powalony strachem. Tak więc zauważ, świerszczyku mój, ile razy tego dnia padałem powalony. Do dziś dnia mam sińce.

To mówiąc, Chryzostom Cherlawy zaczął się rozbierać i mimo sprzeciwu detektywa Kwassa oraz chłopców obnażył się przed nimi, ukazując istotnie rozległe sinożółte sińce, i natrętnie domagał się, by go oglądano, głaskano i użalano się nad nim.

Chłopcy wzbraniali się, jednakże detektyw Kwass wyjaśnił im, że jeśli tego nie zrobią, Chryzostom Cherlawy utknie na tym etapie i nie zdąży wywnętrzyć się do końca, nim upłynie czas wywnętrzeń, to jest dwie godziny od zażycia środka veracoco. Tak więc nie było innej rady i chłopcy musieli użalać się nad Chryzostomem Cherlawym, głaskać go i oglądać jego sińce i odleżyny.

Uspokoiwszy się pod wpływem tych zabiegów i wyraźnego współczucia, opryszek przeszedł do dalszych wywnętrzeń.

– Wreszcie szef rozkazał mnie podnieść – mówił – załadowano mnie do samochodu i zawieziono pod szkołę. Po drodze pouczono mnie, co mam zrobić. Uchwalono bowiem porwanie Marka Piegusa, by dowiedzieć się od niego, co zrobił ze złotem ukrytym w tornistrze.

Czekaliśmy dość długo, wreszcie nadjechało rowerami dwu chłopców. W jednym z nich poznałem tego smarkacza Piegusa. Kiwnąłem na niego, a jeden z ludzi Alberta Flasza zapytał go o ulicę. Kiedy chłopak pokazywał mu drogę, dwu innych zarzuciło mu koc na głowę i wciągnęło go wraz z rowerem do wozu, po czym wóz natychmiast odjechał. Szef kazał potem Bosmannowi podrzucić rower gdzieś na brzegu Wisły, żeby upozorować utonięcie Marka. Tak się u nas zwykle robi, świerszczyku mój.

– To wyjaśnia, dlaczego szprychy w kołach były pokrzywione – mruknąłTeodor. – Bosmannowi musiało się znudzić prowadzenie roweru nad Wisłęi chciał się przejechać na nim, lecz rower Marka nie wytrzymał ciężaru jego dwustukilowego cielska, koła zaczęły dobijać, szprychy zaczęły się uginać, a Bosmann stracił panowanie nad kierownicą i wywalił się z rowerem.

– Masz rację, świerszczyku mój, Bosmann wrócił wściekły do meliny, musiałem go opatrywać. Miał rozcięte kolano o szyny tramwajowe. Strasznie krzyczał przy opatrunku. Inna rzecz, świerszczyku mój, że to była też moja wina, bo ręce mi drżały, gdyż jestem wrażliwy, a tymczasem z sąsiedniej izby dobiegały nas płacz i wrzaski tego smarkacza Piegusa, którego przesłuchiwał osobiście Albert Flasz.

– Łotr! – wykrzyknął Hippollit Kwass. – Znęcał się nad dzieckiem! Zapłacisz nam za to, zbrodniarzu!

Ręce chłopców mimo woli zacisnęły się w pięści.

– Lecz chłopak tak był wystraszony, że słowo nie chciało mu przejść przez gardło – ciągnął niezmordowanie Chryzostom Cherlawy – wrzeszczał tylko i płakał. Wreszcie Albert Flasz widzi, że nie da rady, więc przysyła po mnie. Albert Flasz cenił zawsze moje pedagogiczne zdolności, świerszczyku mój. Zabrałem się fachowo do roboty. Bo między nami mówiąc, Albert Flasz to dyletant, świerszczyku mój. Dyletant, fuszer i pijak. Lecz z powodu forsy i znajomości zapanował nad nami, a ja, świerszczyku mój, który jestem obdarzonysiedmiorgiem talentów przez matkę moją, a to talentem mimicznym, pedagogicznym, choreograficznym, geologicznym, osmotycznym, astrofizycznymi kieszonkowym, ja, orzeł spętany i geniusz nieoceniony, muszę służyć mu i biec do niego jak pies na każde wezwanie. Tak więc pobiegłem. Dzieciak był ledwo żywy, cały w sińcach – niefachowa robota. „Tak nie można, szefie –

powiedziałem. – To niezdrowo dla pana, pan się spocił i zadyszki pan dostał. Tu trzeba fachowo, osmotycznie, pedagogicznie, w miarę mimicznie, a nawet choreograficznie. Przede wszystkim zaś kieszonkowo".

Zawsze wyznaję tę zawodową moją dewizę, świerszczyku mój, że przede wszystkim kieszonkowo. To jedyna zdrowa i nieomylna zasada. Pokaż mi swoją kieszonkę, świerszczyku, a ja cię urządzę. Oto moje życiowe hasło.

Zbadałem więc kieszonkę tego młodego obywatela i wśród innych mniej ważnych obiektów znalazłem pamiętnik. Tak jest, pamiętnik, świerszczyku mój, gdzie ów obywatel zapisywał swoje zmartwienia – Chryzostom Cherlawy zachichotał ubawiony. – Wszystkiego się dowiedziałem z tego pamiętnika. – Chryzostom Cherlawy znów zachichotał. Nie potrzebowałem go już nawet przesłuchiwać. Widzicie, jakie to było proste, świerszczyku mój. Wystarczyło zajrzeć do kieszonki. Kieszeń, tylko kieszeń, świerszczyku mój. Psychologowie i filozofowie za mało interesują się kieszenią ludzką. Stąd takie mizerne rezultaty wiedzy o człowieku.

Kiedy dowiedzieliśmy się z tego pamiętnika, że do mieszkania Piegusów ktoś urządził włamanie, od razu stało się jasne, że w tej całej sprawie maczał swoje brudne palce Wieńczysław Nieszczególny, i zapadła decyzja porwania Wieńczysława Nieszczególnego, czyli, jak to określił szef, definitywnego uprzątnięcia ze świata tego rodzaju śmiecia jak Wieńczysław Nieszczególny.

Ponieważ dawno już zbieraliśmy informacje o tym pasożycie świata kryminalnego, wystarczyły tylko niewielkie uzupełnienia. Szef nie żałował waluty i już następnego dnia dowiedzieliśmy się, że Wieńczysław Nieszczególny spędza wieczory w kabarecie „Arizona" i że nosi czarną brodę.

Udaliśmy się całą bandą do kabaretu i roztoczyliśmy baczną obserwację nad osobnikiem o czarnej brodzie, popijającym kawę pod lustrem. Tak, świerszczyku mój, mieliśmy niemal ptaszka w rękach. Czekaliśmy cierpliwie, aż wyjdzie, żeby móc dyskretnie obezwładnić go i porwać, albowiem takie rzeczy należy robić zawsze dyskretnie, świerszczyku mój, nie jesteśmy chuliganami, lecz ciężko pracującymi fachowcami i nie znosimy awantur. Dlatego czekaliśmy, aż osobnik o czarnej brodzie wyjdzie, by załatwić rzecz dyskretnie i po ciemku. Jakoż około dziesiątej wyszedł. Ruszyliśmy za nim pod przewodem szefa naszego wywiadu – Antosia Turpisa. Zauważyliśmy, że Wieńczysław kręci się po hallu, czai, wreszcie zaczyna majstrować wytrychami przy drzwiach do garderoby. Wtedy Antoś dał znak. Rzuciliśmy się na typa i porwaliśmy go. Jakież było nasze zdumienie, kiedy w samochodzie odkryliśmy mu twarz i przekonaliśmy się, że porwaliśmy nie Wieńczysława Nieszczególnego, lecz znanego detektywa Hippollita Kwassa.

Złość szefa była ogromna i wszystko się na mnie skrupiło. Och, zawsze wszystko na mnie się skrupia, dlatego wyglądam tak nędznie – jęknął opryszek, kurcząc się żałośnie. – Och, powiedz, świerszczyku mój, czy to jest sprawiedliwość, żebym ja, obdarzony siedmiorgiem talentów, wyglądał tak nędznie.

– Boję się, że on nam już nic więcej nie powie na temat Marka – mruknął do detektywa Kwassa zaniepokojony Teodor. – Znów zboczył na swoje narzekania na sprawiedliwość i pewnie znów nam się każe żałować.

– Co zrobić, przyjacielu – zasapał detektyw Kwass, obserwując pilnie Cherlawego. – Veracoco to jest bardzo cenny preparat, ale tylko preparat apteczny, mój chłopcze, a nie cudowny środek. Veracoco drażni pewne komórki nerwowe w naszym mózgu, rozczula nas i skłania do wylewności i wywnętrzeń o tyle tylko, o ile coś bardzo gnębi i dręczy pacjenta. Skoro ten łotr nic nie wspomina o miejscu ukrycia Marka Piegusa, widocznie los Marka Piegusa jest mu obojętny.

– To straszne – Teodor spojrzał na zegarek – już za pięć minut preparat przestanie działać, a my jeszcze nic nie wiemy, musimy coś wymyślić... musimy go zmusić w jakiś sposób do dodatkowych wywnętrzeń. Musimy zwrócićjego uwagę z powrotem na Marka Piegusa.

– Spróbuję – powiedział detektyw Kwass.

Kucnął obok jęczącego opryszka i zaczął go głośno żałować, gładzić po twarzy, głaskać po rzadkich włosach, a potem jęknął:

– Wielka niesprawiedliwość dotknęła cię, przyjacielu. Załatwiłeś wszystko genialnie, to tylko rażąca nieudolność innych opryszków sprawiła, że zamiast mojej osoby nie macie tutaj największego szubrawca wszelkich czasów, najbardziej niemoralnego, zepsutego, przegniłego złodzieja, jakiego wydała ludzkość – Wieńczysława Nieszczególnego. To ty przecież dzięki wnikliwemu wgłębieniu się w kieszeń Marka Piegusa odkryłeś tajemnicę tornistra i pierwszy odgadłeś trafnie, jak haniebną, pasożytniczą rolę spełnia Wieńczy sław Nieszczególny w pracowitym środowisku uczciwych, pracujących złodziei.

Chryzostom Cherlawy, zamknąwszy powieki, słuchał z lubością i błogością tych chwaleń i użaleń, a gdy Kwass przerwał, uchwycił kurczowo jego rękę i przyłożył ją sobie do twarzy.

– Och, głaszcz mnie, och mów dalej, świerszczyku mój.

Kwass chrząknął i spojrzał bezradnie na Teodora.

– Na miłość boską – szepnął Teodor – niech pan nie przerywa głaskania, stracimy ostatnią szansę.

– O niesłusznie pomijany, niedoceniony przez przyziemnych i płaskich złodziei, mistrzu siedmiu talentów – detektyw Kwass gładził rozpaczliwie opryszka po pryszczatej twarzy, rozpaczliwie i ze wstrętem, a Cherlawy tulił się do niego jak małe dziecko. – Jakże źle nagrodzono twoje zasługi. To przecież ty postanowiłeś trzymać Marka Piegusa w końcu czwartego korytarza – detektyw Kwass mrugnął znacząco okiem – to przecież twój pomysł, aby go nie wypuszczać, lecz trzymać...

Chryzostom Cherlawy uśmiechnął się z przymkniętymi oczyma.

– Lecz trzymać... – detektyw Kwass spojrzał rozpaczliwie na Teodora, gdyż nie wiedział, co powiedzieć, i powtarzał tylko:

– Trzymać ... trzymać ... po to... żeby... żeby...

– Żeby odrabiał lekcje za dzieci złodziei – dopowiedział Teodor.

Detektyw Kwass spojrzał na niego ze zdziwieniem, ale z twarzy Teodora nie można było nic wyczytać.

– Tak. To był pomysł... – ożywił się Chryzostom Cherlawy. – Któż inny mógł wpaść na to. Powiedz, świerszczyku mój, czy komuś mogłaby przyjść taka myśl do głowy?

– Nie, przyjacielu. Na to trzeba być dziecięciem siedmiu talentów.

– Zawsze mieliśmy kłopoty z naszym potomstwem. Wychowanie i wykształcenie dzieci to rzecz szczególnie kłopotliwa w naszym zawodzie, gdzie tak osobliwą wagę przykłada się do wychowania moralnego. Nasz trudny zawód wymaga praktyki od najmłodszych lat, codziennych studiów i zajęć praktycznych. Musimy jednak dzieci posyłać do zwyczajnych szkół, gdyż inaczej zwracano by na nas uwagę, co byłoby, jak możesz się domyślić, świerszczyku mój, bardzo niezdrowe dla życia duchowego naszych dzieci, które od urodzenia przyzwyczajamy do skromności, cichości, niezwracania na siebie uwagi. Lecz, jak powiedziałem, wobec konieczności kształcenia ich od najmłodszych lat w naszym zawodzie dzieci nasze mało mają czasu na odrabianie lekcji szkolnych i dlatego Marek Piegus bardzo nam się przydał. Codziennie od godziny szóstej rano do szóstej wieczór, z jedną przerwą półgodzinną na obiad, odrabia za nasze dzieci lekcje, rozwiązuje zadania arytmetyczne, pisze wypracowania z polskiego na zadane tematy, prowadzi za nasze dzieci zeszyty geograficzne, historyczne, biologiczne, fizyczne i chemiczne. Ach, co to za piękny widok taki pracujący za nasze przemęczone dzieci chłopiec!

– Jak to – wykrzyknął detektyw Kwass, nie panując dłużej nad sobą – więc zaprzągłeś biednego chłopca do odrabiania przez dwanaście godzin lekcji za wasze bachory?

– Tak – zawołał w uniesieniu Chryzostom Cherlawy – to był najgenialniejszy pomysł mego życia! Pomyśl, świerszczyku mój, co za organizacja pracy, co za oszczędność czasu i sił naszego młodego, zdrowego, złodziejskiego pokolenia. Zamiast marnować zdrowie, garbacieć, tracić mięśnie i refleks w nędznym ślęczeniu nad zeszytem i książką, młodzież nasza może poświęcać się poważniejszym studiom kieszonkowym oraz praktykować całe popołudnie w terenie, wyrabiając sobie bystrość wzroku, zdolność właściwej oceny, giętkość tułowia, zręczność kończyn górnych i szybkość kończyn dolnych, a nade wszystko rozwijać zmysł dotyku. Och, subtelny zmysł dotyku, pozwalający otwierać kieszenie, zdejmować zegarki, bransolety i pierścionki w sposób pieszczotliwy jak muśnięcie skrzydła motyla. A w tym czasie siedemdziesiąt siedem zeszytów zapełnia się zadaniami i wypracowaniami pisanymi przez jednego, pomyśl, świerszczyku mój, jaki to genialny pomysł, przez jednego jedynego chłopca – Marka Piegusa w klatce na końcu piątego korytarza.

Na te słowa z ust detektywa Kwassa, Teodora i pozostałych chłopców wydarł się okrzyk ulgi. Zerwali się.

Kwass przestał głaskać Chryzostoma Cherlawego. Teodor porwał plecak, Nudys i Pikolo nie czekając na rozkaz, puścili się biegiem do miejsca zbiegu korytarzy.

– A klucze... zapomnielibyśmy kluczy! – zaczął wołać opanowany jak zawsze Kusibaba, biegnąc za nimi z kluczami.

– Stójcie... – zawołał Teodor. – Oszaleliście! Wpadniecie prosto w ręce opryszków. Oddaj te klucze, Kusibaba, najpierw trzeba zamknąć tego drania, żeby nie było żadnych komplikacji.

Chryzostom Cherlawy porzucony przez wszystkich nic jeszcze nie rozumiał. Stał, mrugając oczami i pojękując:

– Co się stało? Dlaczego mnie nikt nie żałuje? Dlaczego mnie nikt nieżałuje?

Teodor dał znak detektywowi. Zbliżyli się do Chryzostoma Cherlawego, Teodor schylił się po sznur. Opryszek pojął, że chcą z nim coś zrobić, i zaczął cofać się, powtarzając:

– Dlaczego mnie nikt nie żałuje? Dlaczego mnie nikt nie żałuje?

Wreszcie z żałosnym krzykiem rzucił się w głąb korytarza.

– Łapcie go! – krzyknął przerażony detektyw.

Ale w tej samej chwili Chryzostom Cherlawy zatoczył się jak pijany, nogi ugięły się pod nim i padł na kolana. Chwilę chwiał się jeszcze jak muzułmanin w czasie modlitwy, bijąc czołem o ziemię, wreszcie przewrócił się i znieruchomiał.

Kiedy chłopcy podbiegli do niego, już spał. Związali mu pośpiesznie nogi i przenieśli do celi, w której był więziony detektyw. Hippollit Kwass osobiście zamknął żelazne drzwi na klucz.

Rozdział XIII

„Poddajcie się – widzimy was". Pod obstrzałem. Tajemniczy głos z tyłu. Marek Piegus. Zamknięci w lochu. Sekret białego tynku

To było genialne – detektyw spojrzał z podziwem na Teodora. – Ale w jaki sposób, mój chłopcze, odgadłeś, że Marek został zmuszony do odrabiania lekcji za wszystkie dzieci złodziejskie?

– Wcale nie odgadłem – uśmiechnął się Teodor – wywnioskowałem.

– Z czego?

– Znaleźliśmy zmięty, zakrwawiony i wdeptany w ziemię zeszyt do polskiego z pismem Marka, chociaż naklejka wskazywała, że właścicielem zeszytu jest Jerzy Turpis. Zapomniałem panu powiedzieć, że opryszek nazwiskiem Turpis został pobity w głównym korytarzu przez Bosmanna w trakcie kłótni.

– I gdzie on jest teraz?

– Śpi w skarbcu.

– Turpis śpi w skarbcu razem z zarośniętym strażnikiem, Cherlawy jest zamknięty tutaj, Bosmann leży związany w skrzyni na odpadki – liczył detektyw – w takim razie zagraża nam jeszcze tylko trzech opryszków. Dyżurny w centralce i dwu strażników: Ślepy Tadzio i Zezowaty. Reszta bandy pracuje w tym czasie na powierzchni.

– Gdzie są ci strażnicy? – zmarszczył brwi Teodor. – Nie widzieliśmy ich jakoś do tej pory.

– To macie szczęście. Musieli się zagapić w telewizor. Odkąd zainstalowano w melinie telewizor, zdarza się tutaj od czasu do czasu takie zagapienie strażników. Zaraz... czy dzisiaj przypadkiem nie było „Misia z okienka"?

– Był – odparł Nudys.

– To by definitywnie wyjaśniało sprawę – zamruczał detektyw Kwass. – Zezowaty przepada za Misiem z okienka. Gdyby nie ten Miś, z pewnością wpadlibyście w jego ręce. On zwykle kręci się w pobliżu miejsca, gdzie schodzi się pięć korytarzy.

– Przy pieczarze?

– Tak, bo stamtąd najlepiej widać.

– Więc, jeśli chcemy się dostać z tego miejsca do piątego korytarza, musimy przejść koło posterunku Zezowatego – stropił się Nudys.

– Tak by wypadało, mój chłopcze.

– Może się znów zagapi. Teraz w telewizji będzie film o Sherlocku Holmesie.

– Wykluczone. Zezowaty nie znosi filmów detektywistycznych, on lubi tylko Misia – potrząsnął głową Kwass i spojrzał na zegarek. – Ale Miś się już skończył. No, to będzie gorąco.

– Niekoniecznie – odezwał się milczący dotąd Teodor.

– Jak to? – Nudys spojrzał na niego zaskoczony.

– Nie musimy przechodzić koło posterunku Zezowatego.

– To jak się dostaniemy?

– Dostaniemy się linią obwodową.

– Linią obwodową? A to co znowu?

– Nic. Po prostu korytarz przebiegający naokoło i łączący wszystkie pięć pozostałych korytarzy podobnie jak obręcz koła łączy jego szprychy.

– Skąd wiesz o istnieniu tej linii? – detektyw Kwass patrzył na Teodora zezdumieniem. – Byłeś tam?

– Przecież przechodziliśmy przez nią.

– Przechodziliśmy, kiedy? – zapytali chłopcy.

– Wtedy kiedy przechodziliśmy przez pierwsze skrzyżowanie na dole. To było właśnie skrzyżowanie korytarza wyjściowego z linią obwodową. Patrzcie, to wygląda tak – Teodor narysował plan.

– Czy jesteś tego pewien? – zapytał detektyw.

– Najzupełniej. Zrobiłem małe doświadczenie i ono mnie przekonało.

– Jakie?

– Zaraz je powtórzę.

Teodor wydobył z plecaka świeczkę i zapalił ją.

– Rozumie pan, panie Hippollicie? – uśmiechnął się do detektywa.

– Świetny pomysł! – wykrzyknął Kwass.

Porwał świeczkę i podniósł ją do góry. Płomień świeczki zamrugał, a potem odchylił się gwałtownie.

– Przeciąg. Ruch powietrza. A zatem korytarz nie jest ślepy. Brawo, mój chłopcze! – poklepał Teodora Hippollit Kwass.

– Niech pan zwróci uwagę na kierunek przelotu powietrza w górze – dodał Teodor.

– Powietrze przelatuje z końca korytarza na początek, to znaczy w kierunku dośrodkowym – powiedział detektyw Kwass.

– Tak jest – skinął głową Teodor. – Wynika z tego, że powietrze przy końcu korytarza jest cieplejsze. W korytarzach nie ma żadnych pieców ani grzejników. Natomiast przy przekraczaniu skrzyżowania, gdy szliśmy od strony windy, zauważyłem w korytarzu obwodowym rury centralnego ogrzewania niedawno założone, bo minia na nich była jeszcze bardzo czerwona. A potem znaleźliśmy nawet grzejnik. Jeśli więc teraz widzimy, że z końca korytarza leci cieplejsze powietrze, to znaczy, że musi tam znajdować się połączenie z lochem, w którym są kaloryfery, czyli z korytarzem obwodowym.

– A przez ten korytarz prawdopodobnie i z korytarzem piątym – dodał detektyw Kwass.

– Można tak twierdzić bez wielkiego ryzyka – przytaknął Teodor. – Zresztą odciski stóp Turpisa potwierdzają tę hipotezę. Pamiętamy, że pobity Turpis uciekał obwodowym korytarzem, tym z kaloryferami, a znalazł się w skarbcu w pierwszym korytarzu. Znaczy to, że lochy mają połączenie. Niech pan tylko spojrzy na rysunek.

– Doskonale, mój chłopcze, przekonałeś mnie. Tą drogą powinniśmy dotrzeć do Marka bez narażania się na niebezpieczeństwo spotkania z Zezowatym, na które, mówiąc szczerze, nie mam najmniejszej ochoty.

– Pozostaje jeszcze Ślepy Tadzio... no i ten dyżurny.

– Ślepy Tadzio śpi o tej porze, gdyż musi być gotowy na nocną służbę o szóstej wieczorem, a dyżurny nigdy nie opuszcza centralki. Nie wolno mu. Wierz mi, chłopcze, że podczas mego przymusowego odpoczynku w tej celi nie próżnowałem, lecz starałem się zbadać organizację tej szajki. No, dość rozważań, przyjaciele, gadulstwo zgubiło niejedno przedsięwzięcie. Naprzód.

★

W parę minut później mała ekipa dotarła do linii obwodowej. Teodor nie omylił się. Korytarz był połączony z lochem obiegającym podziemia w kształcie koła. Znajdowały się tu instalacje cieplne ogrzewające podziemie. Idąc tym korytarzem w prawo, natrafili po drodze na wylot korytarza czwartego, zaopatrzony w żelazną furtkę, otwartą zresztą, a dalej – na wylot korytarza piątego. I tu żelazna furtka była otwarta. Z bijącymi niespokojnie sercami zapuścili się w głąb lochu. Jeśli Cherlawy nie skłamał, tu powinien znajdować się Marek.

I rzeczywiście, nie uszli trzydziestu kroków, kiedy ujrzeli silne światło padające z lewej strony na korytarz. Przyśpieszyli kroku, nie zwracając uwagi na żadne środki ostrożności. Nagle światło zgasło.

– Padnij! – krzyknął Teodor.

Niemal w tej samej chwili zupełnie niespodziewanie od strony korytarza obwodowego błysnął żółty słup światła reflektora i zaczął omiatać wnętrze lochu. Chłopcy schylili głowy. Snop światła jak macka poruszał się nad ich głowami.

– Odkryli nas – jęknął detektyw – wszystko przepadło.

Jakby na potwierdzenie rozległ się groźny głos:

– Poddacie się! Widzimy was!

– Kłamie, nie widzi nas wcale.

– Ustawcie się przy ścianie, twarzą do muru, z podniesionymi rękami. Inaczej natychmiast otworzymy ogień!

– To Zezowaty, jesteśmy zgubieni. Musiał nas w końcu usłyszeć. Ale dlaczego nadbiegł od tej strony? – denerwował się Nudys.

– Może chce nam odciąć odwrót – szepnął detektyw Kwass do leżącego obok Teodora i uniósł się na rękach.

– Niech pan się nie rusza – syknął Teodor.

– Oszalałeś, chłopcze? Wystrzelają nas tu jak zające – przeraził się detektyw.

Nagle z tyłu za nimi dał się słyszeć jakiś nowy, nieznany, trochę piszczący głos:

– Nie ruszajcie się, krok za wami korytarz obniża się o pół metra. Są dwa stopnie. Czołgajcie się w tył, będziecie bezpieczni.

– Kto mówi?

– Marek Piegus.

– Marek Piegus? To ty, chłopcze – detektyw ze wzruszenia nie mógł słowa wykrztusić.

– Marek! Wiwat! – krzyknęli chłopcy.

– Gdzie jesteś, Marku? – zapytał Teodor, leżąc na ziemi.

– Dwa metry za wami. Jestem zamknięty w celi.

Teodor chciał go natychmiast uwolnić, ale Marek powiedział:

– Nie teraz... nie teraz. On będzie strzelał. Cofnijcie się, mówię.

– Liczę do trzech – powtórzył Zezowaty – i otwieram ogień!

– Możesz sobie otwierać – mruknął Teodor, cofając się jak rak za chłopcami po stopniach. Znalazłszy się przy kracie wsunął do celi klucz. W chwilę później Marek był wolny.

– Padnij! – krzyknął Teodor.

Seria zagwizdała nad ich głowami. Deszcz drobnych odłamków cegły spadł na chłopców. W ustach i oczach mieli pełno pyłu.

– Ma rozpylacz – mruknął Teodor.

– Co teraz będzie? – denerwował się Kwass. – Zezowaty ogłosi alarm. Wezmą nas w dwa ognie.

Teodor spojrzał na zegarek.

– Jest piąta. Pirydion ma alarmować milicję dopiero o siódmej. Będziemy musieli bronić się co najmniej przez dwie godziny.

Serie z automatu powtarzały się raz po raz.

– Może by udać, że jesteśmy zabici – zasapał detektyw Kwass – zaczniemy krzyczeć i jęczeć, a potem uciszymy się. Zezowaty będzie myślał, że jesteśmy martwi, zbliży się, a wtedy powalimy go jednym celnym strzałem, nim się spostrzeże.

– Wątpię, czy jest na tyle głupi, żeby się na to nabrać – odparł Teodor – on przecież doskonale wie, że nas nie może trafić, strzela tylko na postrach, żeby trzymać nas w szachu, póki nie przyjdą inni i nie rozprawią się z nami.

– Poddajecie się? – dał się znów słyszeć głos Zezowatego.

– To ty się poddaj – zawołał Teodor – na powierzchni są nasi ludzie! Jeśli nie wyjdziemy stąd natychmiast, mają rozkaz zaalarmować milicję. Wasza kryjówka jest odkryta.

Zezowaty milczał chwilę. Słowa Teodora widać zaskoczyły go. Wreszcie odkrzyknął:

– Łżesz! Nikt nie wie na powierzchni, że wy tu jesteście. Jeśli się nie poddacie natychmiast, zostaniecie zlikwidowani i pies z kulawą nogą nie będzie wiedział, co się z wami stało.

– Możesz zatelefonować do swojego szefa! – odkrzyknął Teodor. – Niech spróbuje tu zejść, a przekona się, że wejście w kaplicy świętego Jacka jest strzeżone przez moich ludzi.

– Dobrze, żeś mi powiedział – krzyknął szyderczo Zezowaty – szef ich wyłapie jak pluskwy, zanim zdążą pisnąć!

– Nie wyłapie, bo mamy rozstawioną sztafetę, co dziesięć metrów człowiek, aż do Komendy Głównej Milicji, a kapitan Jaszczołt jest z nami w kontakcie.

– Mam gdzieś kapitana Jaszczołta – warknął zdenerwowany opryszek. – Zanim tu milicja przeniknie, nie zostanie z was mokra plama.

– Nie mędrkuj, Zezuniu kochany, bo nic nie wymędrkujesz – zakpił Teodor – idź lepiej, zadzwoń do szefa i powiedz, coś usłyszał, bo potem szef może mieć do ciebie pretensję.

Zapadła chwila ciszy. Opryszek widać zastanawiał się, co ma począć. Wreszcie detektyw i chłopcy usłyszeli skrzypienie źle naoliwionego żelaza i metaliczny brzęk, a potem oddalające się kroki.

Teodor wyciągnął latarkę, podpełzł na górny stopień schodów i zaświecił. U wylotu korytarza nie było nikogo. Ale za to ciężka, żelazna furta była zamknięta.

– Poszedł – mruknął Teodor. – I zamknął drzwi.

– No, tego się było można spodziewać.

– Co zrobimy?

– Musimy skorzystać z chwili odprężenia i próbować się wydostać drugim końcem korytarza.

– Biegiem! – zakomenderował Kwass. – Tylko pośpiech może nas ocalić.

Rzucili się co sił w nogach naprzód, w kierunku gwiaździstego skrzyżowania korytarzy, potykając się w ciemności o wyrwy w chodniku i wpadając jeden na drugiego. Teodor zabronił zaświecić latarki.

Nagle poczuli, że uderzają o coś twardego.

– Żelazne pręty! – krzyknął detektyw.

– Cicho, na miłość boską, wystrzelają nas!

Odruchowo przypadli do ziemi. Dookoła jednak panowała cisza. Teodor błysnął na moment latarką. Nie było nikogo. Zobaczył tylko żelazną kratę.

– Zamknęli nas – jęknął Kwass.

– Z dwu stron.

– Jesteśmy w pułapce.

Teodor gorączkowo grzebał wśród pęku kluczy, przymierzając wybrane do zamka żelaznej furty. Żaden nie pasował.

– Tak myślałem – rzekł zrozpaczony detektyw – klucze od furtek korytarzowych, czyli tak zwane klucze alarmowe, mają tylko strażnicy i dyżurny. Bosmann nie mógł mieć tych kluczy.

– Nie ma co medytować – rzekł zimno Teodor – cofamy się na pozycję koło celi Marka. Tam jest najbezpieczniej. To jedyna mądra rzecz, którą możemy w tej chwili zrobić. Tu lada chwila może się zjawić Zezowaty albo dyżurny.

Bez słowa wycofali się w miejsce wskazane przez Teodora.

Wszyscy milczeli, ale ogarniało ich przerażenie i rozpacz. Byli odcięci na pięćdziesięciu metrach chodnika, kilkanaście metrów pod ziemią. Lada moment przed nimi i za nimi wróg może otworzyć ogień. Pozostanie im wtedy tylko cofnąć się do celi, gdzie więziono Marka, i bronić dostępu jedynym pistoletem. Lecz co będzie, jeśli bandyci użyją granatów?

Detektyw Kwass ukrył twarz w dłoniach.

– Prowadziłem wiele spraw w moim życiu, lecz nigdy jeszcze nie byłem w takiej kropce. I to wszystko dlatego, że jednemu smykowi zachciało się wagarować.

– Bardzo mi przykro – wykrztusił czerwony ze wstydu Marek – ja... ja nie chciałem... ja nie wiedziałem... to... dla tego, że ja mam strasznego pecha. Przecież tylu chłopaków chodzi na wagary, a nikogo nie spotykają żadne straszne rzeczy, tylko mnie musieli od razu porwać.

– Nie narzekaj, mój chłopcze, na pech – odrzekł smętnie detektyw Kwass. – Ty przynajmniej nauczyłeś się tutaj odrabiać lekcje i na pewno będziesz miał odtąd same piątki ze wszystkich przedmiotów, a ja stracę tutaj nie tylko moje dobre imię niezwyciężonego detektywa, ale zapewne i głowę.

– Pan za to wytropił centralę największej i najniebezpieczniejszej szajki złodziejskiej w Warszawie...

Detektyw westchnął ciężko i potrząsnął głową.

– Niestety, mój chłopcze, tym razem większa część zasługi znajduje się po stronie naszego przyjaciela Teodora i jego chłopaków. Lecz spójrz na niego. I on nieborak ma niewyraźną minę. Bo cóż z tego, mój wagarujący chłopcze, że zdemaskowaliśmy najniebezpieczniejszą szajkę złodziejską w naszej drogiej stolicy, kiedy zdaje się przyjdzie nam to przypłacić gardłem. Nie... nie myśl, że żałuję siebie, jestem już dość stary, mój chłopcze, i przeżyłem wystarczająco dużo chwały, by móc odejść z tego padołu z poczuciem dobrze spełnionego obowiązku. Żal mi natomiast naszego przyjaciela Teodora. To straszne, że tak wspaniale uzdolniony, tak dzielny chłopiec, który mógłby być kontynuatorem mojego dzieła i dorównać mi kiedyś w sławie, będzie musiał zginąć w piętnastej zaledwie wiośnie swojego żywota.

Detektyw Kwass rozczulił się w tym miejscu i z jego srogich i nieustraszonych oczu po raz pierwszy od niepamiętnych lat zaczęły spływać łzy.

Chłopcom zrobiło się bardzo nieswojo na widok płaczącego detektywa, już zaczęli pociągać nosami i sięgać do kieszeni po chustki, jeszcze chwilka, a w lochach rozbrzmiałby jeden powszechny płacz, gdyby nie Teodor.

– Poświećcie mi szybko tutaj – mruknął.

Pochlipując pod nosem, Nudys i Pikolo wydostali z kieszeni latarki i oświetlili Teodora.

– Zwariowaliście! – rozzłościł się Teodor. – Świećcie na mur.

Na klęczkach zaczął oglądać ściany celi.

– Pan widział to miejsce, panie Hippollicie? – zwrócił się do detektywa, pokazując mu kawał otynkowanej ściany.

Detektyw Kwass przestał szlochać, otarł oczy wielką kraciastą chusteczką, przeczyścił sobie przy sposobności nos, wyjął ze spodni wielki detektywistyczny reflektor podręczny i skierował snop światła na ścianę.

– Istotnie, mój chłopcze. Istotnie... Masz rację... zastanawiające.

Marek Piegus i pozostali chłopcy patrzyli na detektywa i Teodora ze zdziwieniem. Nie rozumieli, co ciekawego mogli oni zobaczyć na ścianie. Ściana jak ściana. Pusta, biała, pokryta surowym, niewygładzonym tynkiem.

Tymczasem detektyw Kwass wyjął z kieszeni nóż, który odebrał Chryzostomowi Cherlawemu, i zaczął gwałtownie zdrapywać tynk ze ściany.

– Doskonale, mój chłopcze... doskonale... – sapał, ocierając czoło. – Tak, masz rację, to jest szansa... to jest jeszcze szansa... Brawo! Mam już słaby wzroki nigdy nie zauważyłbym tej różnicy w bieli tynku na ścianie. Tak, nie ulega wątpliwości, że ta część kładziona była później... Zawsze warto sprawdzić, co się pod nią kryje. Nic nie ryzykujemy... nic nie ryzykujemy, mój chłopcze.

– Młotek! – krzyknął Teodor.

Zawsze przytomny Kusibaba sięgnął błyskawicznie do plecaka.

– Mam także dłuto, komendancie – zameldował, wręczając Teodorowi młotek.

– Dobra.

Teodor zakreślił dłutem prostokąt nisko na ścianie, po czym, posługując się dłutem i młotkiem, błyskawicznie zdarł tynk ze ściany. Również detektyw Kwass kończył zeskrobywanie tynku ze swojej części ściany. Oczom wszystkich ukazał się kawałek ceglanego muru oczyszczony z tynku. Detektyw Kwass ponownie błysnął swoim reflektorem. Założył okulary, znów je zdjął, wreszcie z nosem przy murze zaczął przyglądać się cegłom.

Potem odwrócił się do oniemiałych chłopców i zatarł ręce.

– Być może jesteśmy uratowani... Co o tym myślisz, mój chłopcze? – zwrócił się do Teodora.

– Tak, to wygląda na...

Teodor patrzył na mur, gdzie prostokąt z jaśniejszej cegły wyraźnie oddzielał się od jednolitego tła.

Teraz już wszyscy zrozumieli. Chłopcy spojrzeli po sobie rozgorączkowanym, radosnym wzrokiem.

– Zamurowane przejście! – wykrzyknęli niemal jednocześnie.

Teodor uderzył młotkiem w cegłę. Ale mur trzymał się mocno. Dopiero gdy posłużył się dłutem i przyłożywszy je do miejsca, gdzie cegły były spojone zaprawą, zaczął walić z całych sił młotkiem, posypały się gruzy, mur pękł, kilka cegieł zwaliło się z łomotem i oczom chłopców ukazała się ciemna jama. Powiało stęchłym piwnicznym chłodem.

Chłopcy wydali okrzyk radości. Ale twarz Teodora była wciąż zatroskana.

– Boję się, żeby to nie był ślepy chodnik, powietrze wyraźnie zgniłe.

– Przyjacielu, tak czy owak nie mamy innej szansy, a więc musimy skorzystać z tej, którą los nam daje. Za mną, chłopcy!

Detektyw Kwass zagłębił się pierwszy w ciemną czeluść, błyskając swym reflektorem.

– Rzeczywiście, powietrze jak w grobie – poruszył z obrzydzeniem nosem – ale chodnik prowadzi gdzieś do góry.

Rozdział XIV

Niesamowite zjawisko, które przerwało sen doktora Ildefonsa Stułbi w miedzianej wannie numer czterdzieści dziewięć. Sceny szalenstwa w łaźni. Murzyni pod prysznicem. Ostatnie życzenie Teodora

W łaźni miejskiej nr 17 przy ulicy Bednarskiej panował jak zwykle przy sobocie nieopisany tłok. Tłumy spragnionych czystości obywateli gniotły się w ciasnych korytarzach, czyhając na wolną kabinę czy choćby miejsce przy natryskach.

Szturmowano wanny. Stukano w cienkie przegrody z dykty, przynaglając kąpiących się do pośpiechu. Jakiś niecierpliwy dowcipniś porwał gumowego węża i zaczął zganiać strumieniem lodowatej wody amatorów kąpieli parowej. Wystraszone nagusy, krzycząc niemiłosiernie, rozbiegły się po całej łaźni. Wśród powszechnej wesołości kąpielowi, wymachując ścierkami, rozbrajali kawalarza.

Ale te wszystkie krzyki, pluski, śmiechy, stukania i kłótnie nie zdołały zakłócić spokojnego snu pana doktora Stułbi w wannie numer czterdzieści dziewięć. Doktor Ildefons Stułbia należał do stałych i najbardziej szanowanych bywalców łaźni. Sute napiwki rozdawane systematycznie od siedmiu lat personelowi wyrobiły mu wyjątkową pozycję wśród gości odwiedzających ten przybytek czystości i zapewniły wiele specjalnych przywilejów. Jednym z nich była możność niezakłóconego snu w wannie miedzianej numer czterdzieści dziewięć, która od siedmiu lat stała w sobotę po południu do dyspozycji doktora Ildefonsa Stułbi.

Aby zwyczajowe zasypianie doktora Ildefonsa Stułbi odbywało się w możliwie najwygodniejszych okolicznościach, łaziebny wstawiał doktorowi Stułbi elektryczną grzałkę do wanny umożliwiającą zachowanie stałej temperatury wody na cały okres drzemki doktora, to jest na trzy godziny.

Oczywiście, wanna doktora Stułbi różniła się od normalnych wanien dla zwykłych gości łaźni. Wanna numer czterdzieści dziewięć była wanną służbową, w której kąpali się starsi łaziebni, i to nie wszyscy, lecz jedynie ci, którzy posiedli zaufanie kierownika. Była to wanna wielka, głęboka i wygodna, zapewne przedwojenna, bo z miedzi.

Tej soboty, podobnie jak we wszystkie poprzednie od siedmiu lat, doktor Ildefons Stułbia zasnął błogo wyciągnięty, gdy oto nagle stała się rzecz niesamowita. Pod wanną rozległo się stukanie.

Doktor Ildefons Stułbia ocknął się i zaczął rozglądać zaspanymi oczyma, kto śmiał zakłócić jego spokojną drzemkę. Stukanie ustało i przez chwilę znów panowała cisza. Już myślał, że to wszystko było tylko snem, i z westchnieniem zanurzył się z powrotem do wody, gdy nagle stukanie powtórzyło się znowu, zupełnie wyraźne i metaliczne, tak mocne, że aż woda zadrżała.

Doktor Ildefons Stułbia wyskoczył z wanny i pochyliwszy się badawczo nad wodą, usiłował dojść przyczyn tego niezwykłego zjawiska. Nagle pięć ostatnich włosów na łysinie zjeżyło mu się ze strachu. Oto bowiem wanna zachwiała się w posadach raz i drugi, wreszcie przeszła w stan ustawicznych drgawek. Mozaikowa posadzka koło niej uwypukliła się i nagle opadła, a z czeluści, która się otworzyła w tym miejscu, wyjrzała czarna, straszliwa ręka.

Doktor Ildefons Stułbia wydał przeraźliwy okrzyk, od którego serca wszystkich łaziebnych gości zamarły ze strachu, i zapominając, że jest nagi jak niemowlę, wyskoczył z kabiny. Wciąż krzycząc przeraźliwie, zaczął biegać między czekającymi.

Personel i goście przyglądali mu się zrazu osłupiali, potem rzucili się za nim, usiłując dowiedzieć się, co go wprawiło w takie przerażenie. Jednakże doktor Ildefons Stułbia bełkotał tylko niezrozumiale:

– Coś stuka w wannę. Czarna ręka. Czarna ręka z podłogi...

Ludzie rozstępowali się przestraszeni, ktoś dzwonił na pogotowie, inny znów na milicję.

Zanim zdążyli jednak ochłonąć z pierwszej emocji, rozległy się nowe straszliwe okrzyki w sali natryskowej, po czym ku osłupieniu łaziebnych otworzyły się drzwi i zaczęli z nich wybiegać jak oszaleli klienci.

– Co się stało – usiłował przekrzyczeć wrzawę kierownik – panowie, na miłość boską, dokąd tak pędzicie?!

Odpowiedziały mu przerażone głosy:

– Zapadła się posadzka.

– Ludzie powpadali do piwnicy.

– Mina wybuchła pod łaźnią.

– Nie, to Murzyni.

– Jacy Murzyni? – wykrztusił blady jak ściana kierownik.

– Murzyni wyskoczyli z podziemi.

Kierownik skinął na kilku stojących ze ścierkami łaziebnych i zbliżył się razem z nimi do sali natryskowej. Zajrzał przez drzwi i... zamknął je czym prędzej z powrotem.

– Milicja, straż ogniowa – zdołał tylko wykrztusić i osunął się jak martwy.

Miał słabe serce.

– I pogotowie ratunkowe – dodał jeszcze z wysiłkiem, odmykając jedno oko.

Wkrótce potem zajechały przed łaźnię dwa wozy milicyjne oraz dwie sanitarki pogotowia ratunkowego.

Wyskoczyli z nich sanitariusze z kaftanami bezpieczeństwa i z noszami.

Gdy wbiegli do łaźni, oczom ich przedstawił się nieprawdopodobny widok. Kilkudziesięciu mężczyzn ubranych, na pół rozebranych oraz zupełnie nagich biegało w jakimś szale przerażenia tam i z powrotem, obijając się o zamknięte drzwi.

– Dlaczego pan zamknął tych ludzi? – zapytał oficer milicji odźwiernego.

– Według instrukcji, ob... ob... obywatelu po... po... ruczniku – jąkał odźwierny.

– Jak to: według instrukcji?

– Ka... ka... kazane było zamykać w razie morderstwa albo, albo wła... wła...włamania.

– Jak to: morderstwo? Kogo zamordowano?

– Zamordowano kierownika Plujkę, ob... obywatelu ka... ka... kapitanie.

Widząc, że z wystraszonym jąkałą nie dojdzie do porozumienia, kapitan zwrócił się do łaziebnego Cosia, który gryzł ze zdenerwowania ścierkę.

– Co tu właściwie się wyrabia?

– Tak dokładnie to nie wiem, obywatelu kapitanie, oprócz tego, że zamordowano kierownika łaźni i rzucono kilka bomb do sali natryskowej i do wanny numer czterdzieści dziewięć, gdzie spał doktor Ildefons Stułbia, i że zawaliła się posadzka, to nic takiego nie wiem.

– A ten mały grubas, który lata dookoła i najgłośniej krzyczy?

– To właśnie pan doktor Stułbia.

– To jakiś wariat.

– To prawda, krzyczy, że mu się czarna ręka pokazała.

– Rozumiem – powiedział kapitan – kaftan dla tego pana.

Sanitariusze rzucili się do doktora Stułbi, doktor jednak wydawszy dziki okrzyk, wymknął się i wpadł do opustoszałej kabiny. Sanitariusze wpadli za nim. Doktor Stułbia włączył zimną wodę, wybiegł z kabiny i zamknął ją na klucz. Rozległy się pełne przerażenia wołania sanitariuszy, a w okienku nad drzwiami ukazały się ich wystraszone twarze.

– Co pan robi? – kapitan dopadł do doktora Stułbi.

– Nic... to jacyś niebezpieczni wariaci – wysapał doktor Stułbia – rzucili się na mnie. Musiałem ich zamknąć i ostudzić ich szaleńcze zapały zimnym prysznicem.

– To pan jest wariat! – krzyknął, podbiegając lekarz pogotowia.

– Jak pan śmie! Pan wie, kto ja jestem?

Lekarz pogotowia zamrugał oczami i twarz mu się nagle wydłużyła.

– Pan doktor Stułbia. Przepraszam, nie poznałem... pierwszy raz pana widzę w stroju, hm... kąpielowym.

– Ach, przepraszam, na śmierć zapomniałem – doktor Stułbia cofał się zawstydzony. Wreszcie porwał fartuch łaziebnego i opasał nim biodra.

– Ale na miłość boską, doktorze, co się z panem działo, dlaczego pan tak biegał?

– Jak to: dlaczego? Ścigał mnie tłum szaleńców. Wypadli z kabiny natryskowej i z krzykiem rzucili się na mnie. Nie przypuszczałem, że w łaźni w tych godzinach odbywa się zbiorowa kąpiel chorych umysłowo.

– Ależ pan sam wyskoczył ze swojej kabiny z krzykiem budzącym grozę.

– To nerwowe... mała niedyspozycja... miałem straszny sen, to chyba dlatego, że przed kąpielą najadłem się pulpetów.

Na noszach transportowano właśnie kierownika łaźni Plujkę. Miał oczy otwarte i oddychał spiesznie.

Na widok doktora Stułbi przepasanego fartuchem łaziebnego uniósł się na łokciach i krzyknął:

– Łaziebni, do mnie! Atakujemy, hurra!

I opadł znów martwo na poduszki.

– Dzielny człowiek – zauważył kapitan. – Rany cięte czy postrzałowe?

– Rany – zdziwił się pielęgniarz – dlaczego rany?

– Jak to? Przecież tego człowieka mordowano.
– Nic podobnego, po prostu szok ze strachu. Zajrzał do sali natryskowej i tak się przestraszył, że zemdlał.
Kapitan wytrzeszczył oczy, a potem pognał kłusem do sali natrysków. Otworzył gwałtownie białe drzwi i znieruchomiał.
Pod natryskami widać było czarną, głęboką jamę, dookoła niej myło się energicznie czterech chłopców murzyńskich. Nieco dalej pod ścianą wychylała się z wanny głowa. Śmieszna, łysa głowa starego Murzyna w okularach.
– Kapitan Jaszczołt! – wykrzyknął największy z chłopców murzyńskich, błyskając wesoło białkami oczu.
Kapitan zmarszczył brwi.
– Teodor! Chłopaki! A wy co tu robicie!
– Kąpiemy się. Wyszliśmy z lochów przez dawny otwór kominowy i pobrudziliśmy się trochę.
– Teodor – krzyknął Jaszczołt – tego już za wiele! Gdzieś ty się włóczył ze swoją bandą?
– Szukaliśmy Marka Piegusa.
– Ty... Marka Piegusa?
– Tak, było to trochę kłopotliwe, ale się go znalazło. To ten, panie kapitanie, pod prawym prysznicem. Kazałem mu się wykąpać, boby go mamusia nie poznała.
– Łżesz – zasapał kapitan – to niemożliwe. Ty nie mogłeś odnaleźć Marka Piegusa. To nie jest Marek Piegus. Czarna głowa Murzyna w wannie odwróciła się i przytaknęła.
– To jest Marek Piegus.
– A to znów kto?

– Detektyw Kwass – odparł Teodor.

– Hippollit Kwass – wykrztusił kapitan. – Panie Hippollicie, to pan?

– We własnej osobie.

– To pan. Więc to pana sprawka. Gdzie pan włóczył te nieletnie dzieci?

– Niech pan postawi to pytanie na odwrót – uśmiechnął się kwaśno detektyw Kwass. – Gdzie oni mnie włóczyli?

– Jak to?

– Ci młodzi ludzie wyrwali mnie z niewoli szajki Alberta Flasza.

– Co to za historie?

– Odkryliśmy centralną melinę Alberta Flasza – odpowiedział spokojnie Teodor, ocierając się z wody. – Jeśli pan się pośpieszy, będzie miał pan całą szajkę w ręku.

– Chłopcze, jeśli to prawda, dostaniesz medal.

– Dziękuję, wystarczy, jeśli pan kapitan napisze nam usprawiedliwienie na jutro do szkoły, bo chyba już lekcji nie zdążymy odrobić.

KONIEC

Spis treści